KB101533

#홈스쿨링
#혼자 공부하기

똑똑한
하루 한자

똑똑한 하루 한자
시리즈 구성 예비초~4단계

우리 아이 한자 학습 첫걸음

8급
1단계 A, B, C

7급 II
2단계 A, B, C

7급
3단계 A, B, C

6급 II
4단계 A, B, C

똑 똑 한
하루
한자 ❤

4주 완성 스케줄표

★ 공부한 날짜를 써 봐!

2단계 C

1주

1일 8~17쪽	2일 18~23쪽	3일 24~29쪽	4일 30~35쪽	5일 36~41쪽
행동 한자	행동 한자	행동 한자	행동 한자	행동 한자
食 밥/먹을 식	立 설 립	答 대답 답	記 기록할 기	話 말씀 화
월 일	월 일	월 일	월 일	월 일

특강
42~49쪽
월   일

힘을 내! 넌 최고야!

2주

5일 78~83쪽	4일 72~77쪽	3일 66~71쪽	2일 60~65쪽	1일 50~59쪽
상태 한자	상태 한자	상태 한자	상태 한자	상태 한자
平 평평할 평	直 곧을 직	正 바를 정	全 온전 전	安 편안 안
월 일	월 일	월 일	월 일	월 일

특강
84~91쪽
월   일

배운 내용은 꼭꼭 복습하기!

3주

1일 92~101쪽	2일 102~107쪽	3일 108~113쪽	4일 114~119쪽	5일 120~125쪽
생활 한자	생활 한자	생활 한자	생활 한자	생활 한자
市 저자 시	場 마당 장	農 농사 농	車 수레 거/차	道 길 도
월 일	월 일	월 일	월 일	월 일

특강
126~133쪽
월   일

마지막 4주 공부 중. 감동이야!

4주

특강	5일 162~167쪽	4일 156~161쪽	3일 150~155쪽	2일 144~149쪽	1일 134~143쪽
	기타 한자	기타 한자	기타 한자	생활 한자	생활 한자
168~175쪽	不 아닐 불	世 인간 세	漢 한수/한나라 한	物 물건 물	事 일 사
월 일	월 일	월 일	월 일	월 일	월 일

Chunjae
Makes
Chunjae

▼

똑똑한 하루 한자 2단계 C

편집개발 고미경, 정병수
디자인총괄 김희정
표지디자인 윤순미
내지디자인 박희춘, 조유정
삽화 강일석, 권순화, 온온, 이근하, 정윤희, 홍선미
제작 황성진, 조규영

발행일 2021년 9월 15일 초판 2021년 9월 15일 1쇄
발행인 (주)천재교육
주소 서울시 금천구 가산로9길 54
신고번호 제2001-000018호
고객센터 1577-0902

똑 똑 한

하루
한자

단계
2
C
7급Ⅱ 기초3

구성과 활용 방법

한 주 미리보기

미리보기 만화

미리보기 활동

일일 학습

이야기를 읽으며
오늘 배울 한자를 만나요.

QR 코드 속 영상을 보며
한자를 따라 써요.

재미있는 만화로 생활 속 한자어를 익혀요.

핵심 문제로 기초 실력을 키워요.

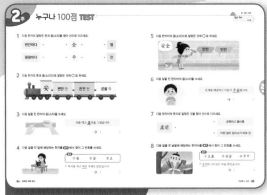

한 주 마무리

누구나 100점 TEST

문제를 풀며 한 주 동안
배운 내용을 확인해요.

특강

생각을 키워요

창의·융합·코딩 문제로
재미는 솔솔, 사고력은 쑥쑥!

부록

한자 카드로 더욱
재미있게 공부해요!

7급Ⅱ 배정 한자 총 100자

□은 2단계-C 학습 한자입니다.

家	間	江	車	工	空
집 가	사이 간	강 강	수레 거/차	장인 공	빌 공
教	校	九	國	軍	金
가르칠 교	학교 교	아홉 구	나라 국	군사 군	쇠 금/성 김
氣	記	男	南	內	女
기운 기	기록할 기	사내 남	남녘 남	안 내	여자 녀
年	農	答	大	道	動
해 년	농사 농	대답 답	큰 대	길 도	움직일 동
東	力	六	立	萬	每
동녘 동	힘 력	여섯 륙	설 립	일만 만	매양 매
名	母	木	門	物	民
이름 명	어머니 모	나무 목	문 문	물건 물	백성 민
方	白	父	北	不	事
모 방	흰 백	아버지 부	북녘 북/달아날 배	아닐 불	일 사
四	山	三	上	生	西
넉 사	메 산	석 삼	윗 상	날 생	서녘 서
先	姓	世	小	手	水
먼저 선	성 성	인간 세	작을 소	손 수	물 수
市	時	食	室	十	安
저자 시	때 시	밥/먹을 식	집 실	열 십	편안 안
午	五	王	外	右	月
낮 오	다섯 오	임금 왕	바깥 외	오른 우	달 월

二	人	一	日	子	自
두 이	사람 인	한 일	날 일	아들 자	스스로 자
場	長	全	前	電	正
마당 장	긴 장	온전 전	앞 전	번개 전	바를 정
弟	足	左	中	直	靑
아우 제	발 족	왼 좌	가운데 중	곧을 직	푸를 청
寸	七	土	八	平	下
마디 촌	일곱 칠	흙 토	여덟 팔	평평할 평	아래 하
學	漢	韓	海	兄	話
배울 학	한수/한나라 한	한국/나라 한	바다 해	형 형	말씀 화
火	活	孝	後		
불 화	살 활	효도 효	뒤 후		

함께 공부할 친구들

 주 미리보기 에서 만나요!

본문 에서 만나요!

한자가 궁금해!
호기심 대장 **아름**

한자를 색칠해 봐!
마법 판다 **팬돌이**

개구쟁이지만 마음
따뜻한 친구 **벼리**

씩씩하고
쾌활한 소녀 **다은**

무엇이든 대답하는
척척박사 **노을**

1주에는 무엇을 공부할까? ❶

내일은 견학 가는 날!
야호, 신난다!

아름아, 가방에서
뭐 떨어졌는데.
견학 안내문 같아.

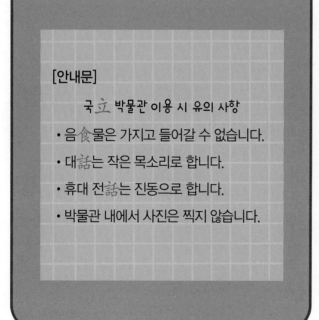

[안내문]

국立 박물관 이용 시 유의 사항

· 음食물은 가지고 들어갈 수 없습니다.
· 대話는 작은 목소리로 합니다.
· 휴대 전話는 진동으로 합니다.
· 박물관 내에서 사진은 찍지 않습니다.

지금은 가방 싸는
중이니까
이따가 읽을게.

견학 가기 전에 꼭
읽어 봐야 해.

⭐ 이번 주에 배울 한자들이 그림 속에 숨어 있어요. 보기를 참고해서 한자를 찾아보세요.

보기

食 밥/먹을 식   立 설 립   答 대답 답   記 기록할 기   話 말씀 화

食 밥/먹을 식

🔍 다음 글을 읽고, 오늘 배울 한자를 확인해 보세요.

체육 시간이 끝나고
점심시간을 알리는 종이 울립니다.
깨끗이 손을 씻고 식(食)사 준비를 합니다.
한바탕 땀 흘린 뒤 먹는[食] 음식(食)이라 그런지
오늘따라 밥[食]맛이 꿀맛입니다.

오늘 배울 한자

食
밥/먹을 식

밥/먹을 식

음식을 담는 그릇을 나타낸 데서 **밥, 먹다** 라는 뜻이 생겼어요.

QR을 보며 따라 써요.

🔍 **연하게 쓰인 한자를 따라 써 본 후, 빈칸에 바르게 쓰세요.**

食	食	食	食
밥/먹을 **식**	밥/먹을 **식**	밥/먹을 **식**	밥/먹을 **식**
밥/먹을 **식**	밥/먹을 **식**	밥/먹을 **식**	밥/먹을 **식**

食 밥/먹을 식

한자어를 익혀요

딩동댕~

오늘 급식 메뉴는 뭐야?

빠아아ー

오늘의 메뉴는 바로 푸짐한 한식(韓食)!

이럴 줄 알았으면 간식(間食) 먹지 말걸.

식사(食事) 시간 전에 간식을 먹다니.

그러게 말이야.

입맛이 없으니 조금밖에 못 먹겠다.

조금만 먹는다면서……

헉

🔍 '食(밥/먹을 식)'이 들어간 한자어를 알아봅시다.

 식 한글로 써 보아요.

 食 한자로 써 보아요.

한 ⃝

우리나라 고유의 음식이나 식사

韓

한국/나라 **한**

간 ⃝

끼니와 끼니 사이에 먹는 음식

間

사이 **간**

⃝ 사

끼니로 음식을 먹음. 또는 그 음식

事

일 **사**

食 밥/먹을 식

기초 실력을 키워요

1 다음 한자의 뜻과 음(소리)으로 알맞은 것을 찾아 ○표 하세요.

아하! 이렇게 푸는구나!

'食(식)'은 음식을 담는 그릇의 모양에서 비롯한 한자예요.

기초 집중 **연습**

2 다음 뜻에 해당하는 한자어를 찾아 선으로 이으세요.

食事

間食

韓食

끼니와 끼니 사이에
먹는 음식
·

**1
주**

3 보기 와 같이 다음 한자의 뜻과 음(소리)을 쓰세요.

> 보기
>
> 動 → 움직일 동

· 食 → (   )

4 다음 밑줄 친 한자어의 음(소리)을 쓰세요.

바른 자세로 앉아 **食事**를 하였습니다. → (   )

효 설립

🔍 다음 글을 읽고, 오늘 배울 한자를 확인해 보세요.

내일은 국립(효) 박물관을 견학합니다.
이 박물관은 우리나라의 국보와 보물을 모으고
연구하기 위해 세워졌대요[효].
우리나라의 보물을 만나러 갈 생각을 하니
벌써부터 가슴이 두근거립니다.

오늘 배울 한자
효
설 립

설 립

[사람이 땅 위에 서 있는 모습을 나타낸 글자로, **서다**라는 뜻이에요.]

QR을 보며 따라 써요!

🔍 **연하게 쓰인 한자를 따라 써 본 후, 빈칸에 바르게 쓰세요.**

立	立	立	立
설 립	설 립	설 립	설 립
설 립	설 립	설 립	설 립

내일은 국립(國立) 박물관을 견학할 거예요.

다음 날

인류의 진화 계통도

직립(直立) 보행이라는 작은 변화가 엄청난 발전을 가져왔어요.

열심히 구경했더니 다리가 아파 못 걷겠어.

나 좀 업어 줘.

아휴, 벼리는 스스로 걷는 데서부터 자립(自立)하는 노력을 해야겠다.

'立(설 립)'이 들어간 한자어를 알아봅시다.

 립 | 한글로 써 보아요.

 立 | 한자로 써 보아요.

국 ◯

공공의 이익을 위해 나라에서 세움.

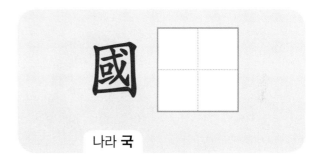

國

나라 **국**

직 ◯

꼿꼿하게 바로 섬.

直

곧을 **직**

자 ◯

스스로 섬.

自

스스로 **자**

立 설 립

1 다음 한자의 뜻에 해당하는 동작을 하고 있는 사람을 찾아 ⭕표 하세요.

🐰 **아하!** 이렇게 푸는구나!

'立(립)'은 사람이 땅 위에 서 있는 모습을 나타낸 글자로, '서다', '세우다'라는 뜻이에요.

기초 집중 **연습**

2 ◯에 알맞은 글자를 넣어 낱말을 만드세요.

스스로 섬.

꼿꼿하게 바로 섬.

자◯

직◯

3 보기 와 같이 다음 한자의 뜻과 음(소리)을 쓰세요.

보기
食 ➡ 밥/먹을 식

• 立 ➡ (   )

4 다음 밑줄 친 낱말에 해당하는 한자어를 보기 에서 찾아 그 번호를 쓰세요.

보기
① 自立   ② 國立   ③ 直立

• <u>국립</u> 도서관에서 책을 빌렸습니다. ➡ (   )

答 대답 답

🔍 다음 글을 읽고, 오늘 배울 한자를 확인해 보세요.

시험 시작 10분 전,
마음이 콩닥콩닥 긴장됩니다.

오늘 배울 한자

答
대답 답

시험이 시작되고, 답(答)지에 차근차근
정답(答)을 써 내려갑니다.
막힘없이 문제를 풀어 나간 걸 보면,
오늘은 왠지 백 점을 받을 것 같아요.

대답 답

[옛날에 대나무에 편지를 쓰고 답장하였던
데서 **대답**이라는 뜻을 나타내요.]

QR을 보며 따라 써요!

🔍 **연하게 쓰인 한자를 따라 써 본 후, 빈칸에 바르게 쓰세요.**

答	答	答	答
대답 **답**	대답 **답**	대답 **답**	대답 **답**
대답 **답**	대답 **답**	대답 **답**	대답 **답**

오늘은 쪽지 시험을 보기로 했지요?

쪽지 시험

문제를 푼 후 답지(答紙)에 적으면 됩니다.

잠시 후

선생님, 저 다 풀었어요.

정말? 선생님이 한번 봐도 될까?

네!

척~

정답(正答)은 아니지만 대답(對答)만큼은 씩씩해서 좋구나.

ㅋㅋㅋ

ㅋㅋ…

'答(대답 답)'이 들어간 한자어를 알아봅시다.

 한글로 써 보아요.

 한자로 써 보아요.

문제의 해답을 쓰는 종이

종이 **지**

옳은 답

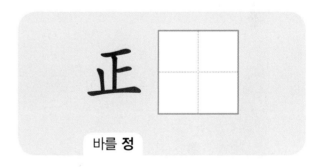

바를 **정**

부르는 말에 응하여 어떤 말을 함.

대할 **대**

3일 행동 한자   答 대답 답   기초 실력을 키워요

1 다음 한자의 뜻과 음(소리)으로 알맞은 것을 찾아 선으로 이으세요.

물을 문 •

• 설 립

대답 답 •

🐰**아하!** 이렇게 푸는구나!

'**答**(답)'은 옛날에 대나무에 편지를 써서 답장하였던 데서 '대답'이라는 뜻이 생겼어요.

기초 집중 연습

🐻 **어휘 확인**

2 다음 그림이 나타내는 낱말을 찾아 선으로 이으세요.

옳은 답

· 정답

· 대답

🐰 **급수 유형**

3 다음 밑줄 친 말에 해당하는 한자를 보기 에서 찾아 그 번호를 쓰세요.

보기
①立   ②食   ③答

● 아무리 불러도 <u>대답</u>이 없습니다. → (   )

🐰 **급수 유형**

4 다음 밑줄 친 한자의 음(소리)을 보기 에서 찾아 그 번호를 쓰세요.

보기
① 답   ② 정   ③ 식

● <u>答</u>지에 이름을 적었습니다. → (   )

記 기록할 기

🔍 다음 글을 읽고, 오늘 배울 한자를 확인해 보세요.

오늘 배울 한자

記
기록할 기

책상에 앉아 오늘 하루를 돌아봤어요.
즐거웠던 일, 슬펐던 일, 놀랐던 일을
솔직하게 일기(記)장에 적었어요[記].
나의 소중한 기(記)록이
이렇게 또 한 페이지 쌓여 갑니다.

기록할 기

[말을 잘 다듬어 마음에 새긴다는 데서 **기록하**다라는 뜻을 나타내요.]

QR을 보며 따라 써요!

🔍 **연하게 쓰인 한자를 따라 써 본 후, 빈칸에 바르게 쓰세요.**

記	記	記	記
기록할 기	기록할 기	기록할 기	기록할 기
기록할 기	기록할 기	기록할 기	기록할 기

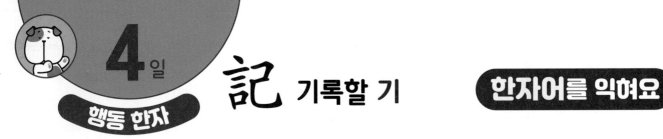

그 공책은 뭐야?

아, 이거?

관심 있는 기사(記事)를 스크랩하거나 후기(後記)를 쓰는 공책이야.

그날그날의 일기(日記)를 쓰기도 하지.

일명 나만의 작가 노트라고나 할까?

정말 멋지다! 나도 한번 봐도 돼?

특별히 보여 주는 거야.

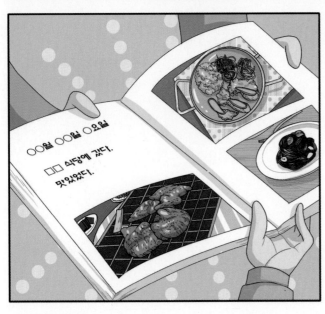

이건 그냥 맛집 기록이잖아!

하 하~

 '記(기록할 기)'가 들어간 한자어를 알아봅시다.

기 | 한글로 써 보아요.

記 | 한자로 써 보아요.

( ) 사

어떠한 사실을 알리는 글

□ 事

일 사

후 ( )

본문 끝에 덧붙여 기록함.

後 □

뒤 후

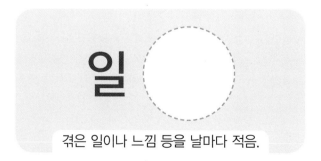

일 ( )

겪은 일이나 느낌 등을 날마다 적음.

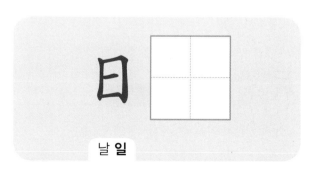

日 □

날 일

4일
행동 한자
記 기록할 기
기초 실력을 키워요

1 다음 한자와 관계있는 직업을 찾아 ◯표 하세요.

불이 나면 달려가는 소방관

싱싱한 채소를 재배하는 농부

아픈 사람을 고쳐 주는 의사

기사를 취재하여 기록하는 기자

記

아하! 이렇게 푸는구나!

'記(기)'는 '기록하다'라는 뜻이 있어요.

기초 집중 연습

2 다음 뜻에 해당하는 한자어를 찾아 선으로 이으세요.

| 어떠한 사실을 알리는 글 | · | · | 日記 |

| 본문 끝에 덧붙여 기록함. | · | · | 後記 |

| 겪은 일이나 느낌 등을 날마다 적음. | · | · | 記事 |

3 다음 뜻에 알맞은 한자를 **보기** 에서 찾아 그 번호를 쓰세요.

보기

① 記　　② 答　　③ 食

● 기록하다 ➜ (　　　　　　)

4 다음 밑줄 친 한자어의 음(소리)을 쓰세요.

나는 매일 **日記**를 씁니다.　➜ (　　　　　　)

話 말씀 화

🔍 다음 글을 읽고, 오늘 배울 한자를 확인해 보세요.

오늘 배울 한자

話

말씀 화

나에게도 휴대 전화(話)가
생겼어요.
나도 이제 친구들과 문자도
주고받고 영상 통화(話)도
할 수 있어요.
물론 엄마 말씀[話]대로
꼭 필요할 때만 안전하게
사용할 거예요.

말씀 화

[좋은 말로 조심스럽게 이야기한다는 데서 **말씀**이라는 뜻을 나타내요.]

QR을 보며 따라 써요!

1주

🔍 **연하게 쓰인 한자를 따라 써 본 후, 빈칸에 바르게 쓰세요.**

話	話	話	話
말씀 화	말씀 화	말씀 화	말씀 화
말씀 화	말씀 화	말씀 화	말씀 화

5일

행동 한자

話 말씀 화

한자어를 익혀요

오케이, 굿바이.

무슨 전화(電話)야?

아, 얼마 전에 사귄 외국인 친구한테 전화가 왔거든.

우아, 외국인과 대화(對話)를 하다니.

너는 영어를 정말 잘하는구나.

뭘 이 정도 가지고.

공통된 화제(話題)만 있으면 다 통하게 되어 있다고.

우 쭐

공통 화제?

우웃빛깔 아이돌! 사랑해요 아이돌!

우웃빛깔

사랑해요

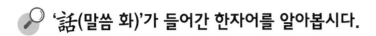 '話(말씀 화)'가 들어간 한자어를 알아봅시다.

 한글로 써 보아요.

 한자로 써 보아요.

전 ◯

전화기를 이용하여 말을 주고받음.

電

번개 **전**

대 ◯

마주 대하여 이야기를 주고받음.

對

대할 **대**

◯ 제

이야기의 제목.
이야기할 만한 재료나 소재

題

제목 **제**

1 '말씀 화'가 쓰인 징검다리를 따라 개울을 건너가세요.

出발

記
話
記
記
食
食
食
話
話
記
話

도착

아하! 이렇게 푸는구나!

그림 속 징검다리에는 '話(말씀 화)', '記(기록할 기)', '食(밥/먹을 식)'이 제시되어 있어요.

어휘 확인

2 다음에서 '話(말씀 화)'가 들어 있는 낱말에 ◯표 하세요.

| 전화 | 무궁화 |

급수 유형

3 다음 뜻과 음(소리)에 알맞은 한자를 보기 에서 찾아 그 번호를 쓰세요.

보기

① 記　　② 話　　③ 食

• 말씀 화　➜　(　　　　　　)

급수 유형

4 다음 뜻에 해당하는 한자어를 보기 에서 찾아 그 번호를 쓰세요.

보기

① 電話　　② 對話　　③ 話題

• 마주 대하여 이야기를 주고받음.　➜　(　　　　　　)

1 다음 그림이 나타내는 한자를 찾아 선으로 이으세요.

· 立

· 答

2 보기 와 같이 다음 한자의 뜻과 음(소리)을 쓰세요.

보기

立 → 설 립

· 答 → (   )

3 다음 ☐ 안에 들어갈 한자에 ◯표 하세요.

신문에 우리 학교에 관한 ☐사가 실렸습니다.

記 / 食

4 다음 밑줄 친 말에 해당하는 한자를 보기 에서 찾아 그 번호를 쓰세요.

보기

① 立   ② 食   ③ 話

· 아침에 빵과 우유를 먹었습니다. → (   )

5 다음 밑줄 친 한자어의 음(소리)을 쓰세요.

양식보다는 **韓食**이 내 입맛에 잘 맞습니다. → (   )

6 다음 빈칸에 공통으로 들어갈 한자를 **보기** 에서 찾아 그 번호를 쓰세요.

보기

① 食   ② 答   ③ 話

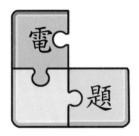

[가로 열쇠] 이야기의 제목

[세로 열쇠] 전화기를 이용하여 말을 주고받음.

7 그림 속 내용이 맞으면 '예', 틀리면 '아니요'에 ◯표 하세요.

'**後記**'는 '일기'
라고 읽습니다.   예
                        아니요

'**正答**'은 '옳은 답'
이라는 뜻입니다.   예
                        아니요

8 다음 밑줄 친 낱말에 해당하는 한자어를 **보기** 에서 찾아 그 번호를 쓰세요.

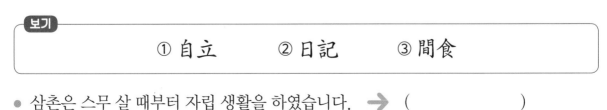

보기

① 自立   ② 日記   ③ 間食

• 삼촌은 스무 살 때부터 <u>자립</u> 생활을 하였습니다. → (   )

📖 **국어+한문** 다음 만화를 읽고, 성어의 뜻을 생각해 보세요.

自 問 自 答

스스로 **자**　물을 **문**　스스로 **자**　대답 **답**

무슨 걱정이라도 있어?

장래 희망을 적는 숙제를 하다가 고민이 생겨서 말이야.

사실 내가 무얼 좋아하고 원하는지 잘 모르겠단 말이지.

그럴 땐 자신에게 집중하며 자문자답해 보는 것도 좋아.

그거 좋은 방법이다.

그날 오후

벼리야, 너는 어떤 일을 할 때 행복하니?

맛있는 음식을 먹으면 행복한 기분이 든답니다.

◆ 성어의 뜻을 살펴보며 빈칸에 알맞은 한자를 채우세요.

자	문	자	답
自	問	自	

→ '스스로 묻고 스스로 대답한다.'는 뜻으로, 자기 자신과 대화함을 이르는 말

📖 코딩+한문 한자 명령어로 작동하는 신호등이 있습니다. 다음 명령어를 읽고, 물음에 답하세요.

명령어

答 초록불을 켭니다.

立 빨간불을 켭니다.

話 초록불을 끕니다.

記 빨간불을 끕니다.

食 초록불을 깜빡거리게 합니다.

1 다음과 같이 명령어를 입력하였을 때 순서상 틀린 부분을 두 군데 찾아 ○표 하고, 순 서에 맞게 한자와 그 뜻·음(소리)을 쓰세요.

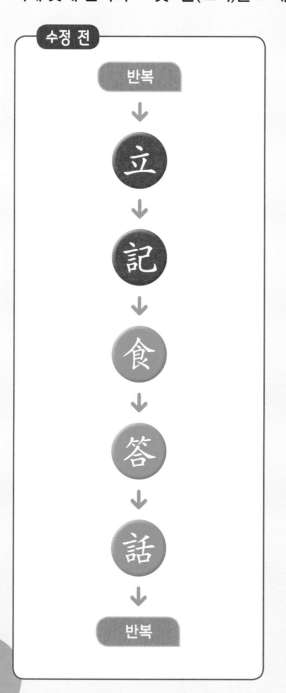

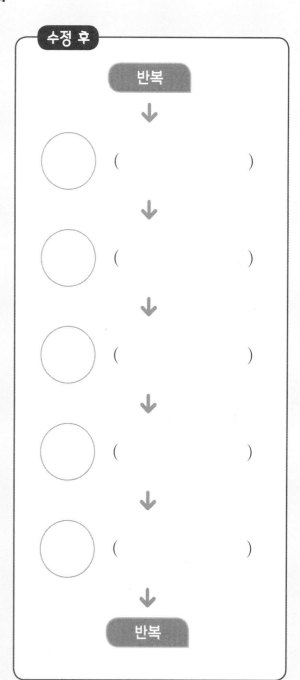

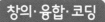

📖 국어+도덕+한문 다음은 다양한 상황에서의 예절을 나타낸 것입니다. 다음을 읽고, 물음에 답하세요.

식사(食事) 예절

- 자리에 바르게 앉아서 먹습니다.
- 음식물을 입에 넣고 말하지 않습니다.

대화(對話) 예절

- 다른 사람의 말을 잘 들으며, 차례를 지켜 이야기합니다.
- 대화를 이어갈 수 있도록 맞장구를 칩니다.

전화(電話) 예절

- 전화를 걸거나 받을 때 자신이 누구인지 밝힙니다.
- 공공장소에서 전화를 할 때는 작은 목소리로 말합니다.

1 다음 그림이 나타내는 한자어를 찾아 선으로 이으세요.

  ·

 ·

· 電話

· 食事

2 다음 ☐ 안에 공통으로 들어갈 한자를 찾아 ◯표 하세요.

- 다른 사람과 이야기할 때는 대☐가 이어지도록 맞장구를 칩니다.
- 전☐를 걸거나 받을 때는 자신이 누구인지 밝힙니다.

話   記   食

3 다음 밑줄 친 말에 해당하는 한자를 보기 에서 찾아 쓰세요.

보기

立   記   答

버스에서 앞에 (1)서 계신 어르신께 자리를 양보하는 것도 예의 바른 행동이야.

어른께서 부르시면 공손하게 (2)대답해야 해.

답 (1) ☐ (2) ☐

아름아, 뭐해?

수학 숙제 중인데 문제를 못 풀겠어.

直각삼각형 5개와 正사각형 1개, 平행사변형 1개를 이용하여 다음 모양을 만드세요.

한자를 한글로 바꾸면 쉽게 풀 수 있을 거야.

1일 安 편안 안 **2**일 全 온전 전 **3**일 正 바를 정

4일 直 곧을 직 **5**일 平 평평할 평

한자를 색칠해 봐!

와! 한글로 바뀌었다!

직각삼각형 5개와 정사각형 1개, 평행사변형 1개를 이용하여 다음 모양을 만드세요.

좋았어!

어때?
이제는 풀 수 있겠지?

잠시 후

한자의 문제가
아니었어, 힝.

하하.

2주에는 무엇을 공부할까? ❷

⭐ 이번 주에 배울 한자들이 그림 속에 숨어 있어요. 보기 를 참고해서 한자를 찾아보세요.

보기

安 편안 안   全 온전 전   正 바를 정   直 곧을 직   平 평평할 평

◑ 정답 7쪽

安 편안 안

🔍 다음 글을 읽고, 오늘 배울 한자를 확인해 보세요.

활기찬 아침 등굣길.

학교 주변에는 우리의 안(安)전을 책임지는

많은 어른이 있습니다.

그분들께 감사한 마음을 가득 담아

큰 소리로 인사를 드립니다.

"안(安)녕하세요!"

어린이보호구역
30

정지

오늘 배울 한자

安
편안 안

편안 안

집 안에 여자가 있는 모습을 나타낸 글자로,
편안하다라는 뜻이에요.

QR을 보며 따라 써요!

🔍 **연하게 쓰인 한자를 따라 써 본 후, 빈칸에 바르게 쓰세요.**

安	安	安	安
편안 안	편안 안	편안 안	편안 안
편안 안	편안 안	편안 안	편안 안

2주

安 편안 안

한자어를 익혀요

너 표정이 불안(不安)해 보이는데, 무슨 일 있어?

아, 저번에 이 길을 지나다가 차에 부딪힐 뻔했거든.

두리번

두리번

그래서 혹시나 또 그런 일이 생기지 않게 살피는 거야.

그렇다고 앞을 안 보고 걸으면 어떡해. 앞을 잘 보고 가야 더 안전(安全)하지.

걱정하지 마. 틈틈이 보고 있어.

잠시 후

으아, 이제야 안심이다. 평안(平安)한 마음으로 게임이나 해 볼까?

휴~

쿵!

미끌~

아이쿠, 조심해야 할 차가 여기도 있었네!

🔍 '安(편안 안)'이 들어간 한자어를 알아봅시다.

안 한글로 써 보아요.

安 한자로 써 보아요.

불 ⬭
마음이 편하지 아니하고 조마조마함.

不
아닐 **불**

⬭ 전
위험이 생기거나 사고가 날 염려가 없음.

全
온전 **전**

평 ⬭
걱정이나 탈이 없음.

平
평평할 **평**

1일 安 편안 안

기초 실력을 키워요

1 다음에서 '安'의 뜻과 어울리는 상황을 찾아 ✔표 하세요.

포근한 이불을 덮고 누우니
마음이 편안합니다.

많은 사람 앞에서 발표를 하려니
마음이 긴장됩니다.

친한 친구가 전학을 간다고 하니
마음이 속상합니다.

소풍 갈 생각을 하니
마음이 설렙니다.

아하! 이렇게 쮸는구나!

'安(안)'은 집 안에 여자가 있는 모습을 나타낸 것으로, '편안하다'라는 뜻이에요.

2 그림 속 내용이 맞으면 '예', 틀리면 '아니요'에 ◯표 하세요.

예 아니요

'平安'은 '평안'
이라고 읽습니다.

예 아니요

'불안'은 '걱정이나 탈이
없음.'이라는 뜻입니다.

3 보기와 같이 다음 한자의 뜻과 음(소리)을 쓰세요.

보기

話 → 말씀 화

• 安 → (   )

4 다음 밑줄 친 낱말에 해당하는 한자어를 보기에서 찾아 그 번호를 쓰세요.

보기

① 安全   ② 不安   ③ 平安

• 자동차에 타면 <u>안전</u>벨트를 맵니다. → (   )

全 온전 전

🔍 다음 글을 읽고, 오늘 배울 한자를 확인해 보세요.

오늘은 올림픽 개막식이
열리는 날입니다.
올림픽은 전(全) 세계인이
즐기는 축제의 장이지요.
이제 우리나라 선수단이
입장할 차례입니다.
경기에 이기는 것도 중요하지
만, 무엇보다 안전(全)하게
경기를 치르면 좋겠습니다.

오늘 배울 한자

全
온전 전

온전 전

흠이 없는 구슬을 온전히 보관한다는 데서
온전하다라는 뜻을 나타내요.

QR을 보며 따라 써요!

🔍 **연하게 쓰인 한자를 따라 써 본 후, 빈칸에 바르게 쓰세요.**

全	全	全	全
온전 전	온전 전	온전 전	온전 전
온전 전	온전 전	온전 전	온전 전

전국(全國)에 계신 시청자 여러분, 안녕하십니까?

올림픽 개막식이 지금 막 시작되었습니다.

우리 선수들, 오래 준비한 만큼 모쪼록 전력(全力)을 다해 주기를 바랍니다.

하지만 무엇보다도 안전하게 경기를 치르도록 만전(萬全)을 기해야겠죠.

KOREA
대한민국

개막식만 보는데도 내가 다 떨려.

그러게. 선수들이 힘낼 수 있게 우리도 열심히 응원하자!

말씀드리는 순간, 우리나라 선수들이 입장합니다!

우리나라 선수들 파이팅!

 '全(온전 전)'이 들어간 한자어를 알아봅시다.

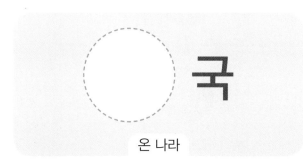

온 나라

나라 **국**

온 힘

힘 **력**

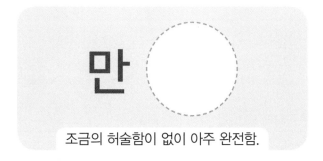

조금의 허술함이 없이 아주 완전함.

일만 **만**

全 온전 전

1 다음 한자의 뜻과 음(소리)으로 알맞은 것을 찾아 ○표 하세요.

아하! 이렇게 푸는구나!

'全(전)'은 흠이 없는 구슬을 온전하게 보관한다는 데서 '온전하다'의 뜻을 가진 한자예요.

기초 집중 연습

😊 어휘 확인

2 다음 그림이 나타내는 낱말을 찾아 선으로 이으세요.

온 힘

· 전력

· 만전

🐰 급수 유형

3 다음 밑줄 친 한자의 음(소리)을 쓰세요.

오늘은 <u>全</u>국 곳곳에 비가 내리겠습니다. → (   )

🐰 급수 유형

4 다음 밑줄 친 말에 해당하는 한자를 보기 에서 찾아 그 번호를 쓰세요.

보기
① 全   ② 立   ③ 安

• 국토를 <u>온전하게</u> 보호해야 합니다. → (   )

正 바를 정

🔍 다음 글을 읽고, 오늘 배울 한자를 확인해 보세요.

오늘 배울 한자

正

바를 정

기표소

투표함

전교 회장 선거는 학생들의 뜻을
대표할 사람을 뽑는 중요한 행사입니다.
대표를 잘 뽑아야 학생들의 의견을 잘 전달하고,
중요한 일을 바르게[正] 결정할 수 있거든요.
나는 공정(正)하고 책임감 있는 후보에게
투표할 거예요.

바를 정

[다른 나라로 진격하여 바로잡는다는 데서
바르다라는 뜻을 나타내요.]

QR을 보며 따라 써요!

🔍 **연하게 쓰인 한자를 따라 써 본 후, 빈칸에 바르게 쓰세요.**

正	正	正	正
바를 정	바를 정	바를 정	바를 정
바를 정	바를 정	바를 정	바를 정

3일

상태 한자

正 바를 정

한자어를 익혀요

정문(正門) 앞이 왜 이렇게 소란이지?

다음 주가 전교 회장 선거일이라서 후보들이 유세하는 건가 봐.

본보기가 될 수 있는 학생회장이 되겠습니다!

기호 1번

제가 회장이 된다면 모든 학급에 햄버거를 돌리겠습니다!

기호 2번

와

오예

와~

저렇게 부정(不正)한 방법을 쓰다니.

하지만 모두 환호하고 있어.

개표일

투표 결과,

이나리 학생이 학생회장에 당선되었습니다.

우리 학교 학생들이 이렇게 공정(公正)하다니깐.

꾸벅~

와~

와~

'正(바를 정)'이 들어간 한자어를 알아봅시다.

 한글로 써 보아요.

 한자로 써 보아요.

○ 문

건물의 정면에 있는 출입문

□ 門

문 문

'不'은 'ㄷ', 'ㅈ'으로 시작하는 낱말 앞에서는 '부'로 읽어요.

부 ○

올바르지 아니하거나 옳지 못함.

不 □

아닐 불

공 ○

공평하고 올바름.

公 □

공평할 공

3일

상태 한자

正 바를 정

1 다음 한자의 뜻과 음(소리)으로 알맞은 것을 찾아 선으로 이으세요.

편안 안   온전 전   바를 정

🐰**아하!** 이렇게 푸는구나!

'正(정)'은 다른 나라로 진격하여 바로잡는다는 데서 '바르다'라는 뜻을 나타낸 한자예요.

기초 집중 연습

어휘 확인

2 다음 밑줄 친 한자어의 음(소리)으로 알맞은 것을 찾아 ◯표 하세요.

심판이 <u>公正</u>하게 경기를 진행하였습니다.

부정   공정

급수 유형

3 다음 밑줄 친 음(소리)에 해당하는 한자를 보기 에서 찾아 그 번호를 쓰세요.

보기
① 全   ② 安   ③ 正

• 그는 부<u>정</u>한 세력에 맞서 싸웠습니다. ➔ (   )

급수 유형

4 다음 뜻에 해당하는 한자어를 보기 에서 찾아 그 번호를 쓰세요.

보기
① 正門   ② 公正   ③ 不正

• 건물 정면에 있는 출입문 ➔ (   )

直 곧을 직

🔍 다음 글을 읽고, 오늘 배울 한자를 확인해 보세요.

곧게[直] 뻗은 나무 아래에서
친구를 기다립니다.
약속 시간 직(直)전인데도
친구의 모습은 보이지 않아요.
한참 뒤 친구가 저 멀리서 뛰어옵니다.

약속 시간에 늦은 것은 화가 나지만,
솔직(直)하게 사과한다면
이번 한 번만 용서해 줄래요.

오늘 배울 한자

直
곧을 직

곧을 직

열 사람(많은 사람)의 눈이 똑바로 쳐다본 다는 데서 **곧다**라는 뜻이 생겼어요.

QR을 보며 따라 써요!

🔍 **연하게 쓰인 한자를 따라 써 본 후, 빈칸에 바르게 쓰세요.**

直	直	直	直
곧을 직	곧을 직	곧을 직	곧을 직
곧을 직	곧을 직	곧을 직	곧을 직

2주

왜 이렇게 늦은 거야?

미안. 사실 내가 여기로 오는 길에 말이야……

어디선가 야구공이 직선(直線)으로 빠르게 날아오는데,

하필 그 앞에 어린애가 있잖아.

아이가 공을 맞기 직전(直前)에 이 몸이 딱 몸을 날려 구했거든.

그러다 옷이 더러워져서 갈아입고 오느라 늦었어.

사실이야? 정직(正直)하게 이야기하면 한 번 봐줄게.

사실은 늦잠 잤어, 헤헤.

으이구, 그럴 줄 알았어.

'直(곧을 직)'이 들어간 한자어를 알아봅시다.

직 한글로 써 보아요.

直 한자로 써 보아요.

○ 선

곧은 선

□ 線

줄 선

○ 전

어떤 일이 일어나기 바로 전

□ 前

앞 전

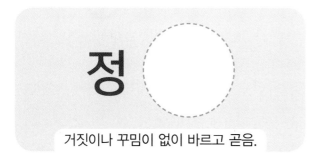
정 ○

거짓이나 꾸밈이 없이 바르고 곧음.

正 □

바를 정

4일

상태 한자

直 곧을 직

1 '直'의 뜻이 쓰인 자동차를 따라가 빈칸에 알맞은 음(소리)을 쓰세요.

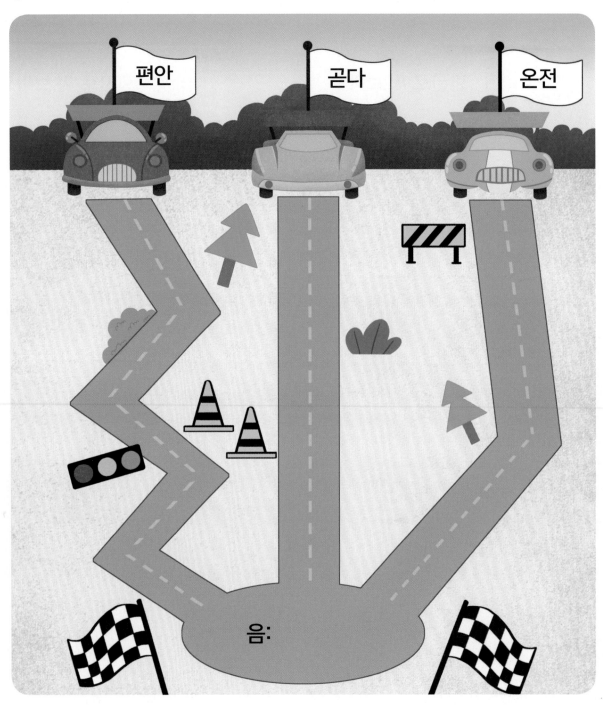

편안   곧다   온전

음:

아하! 이렇게 푸는구나!

'直(직)'은 열 사람의 눈이 똑바로 쳐다본다는 데서 '곧다'라는 뜻을 나타낸 한자예요.

어휘 확인

2 다음 뜻에 해당하는 낱말을 찾아 ◯표 하세요.

어떤 일이 일어나기 바로 전

정직   직선   직전

급수 유형

3 다음 밑줄 친 한자어의 음(소리)을 보기 에서 찾아 그 번호를 쓰세요.

> **보기**
>
> ① 정직   ② 직선   ③ 직전

● 우리 집 가훈은 '<u>正直</u>과 성실'입니다. → (   )

급수 유형

4 다음 밑줄 친 말에 해당하는 한자를 보기 에서 찾아 그 번호를 쓰세요.

> **보기**
>
> ① 安   ② 直   ③ 立

● 삼각형은 세 개의 <u>곧은</u> 선으로 둘러싸인 도형입니다. → (   )

平 평평할 평

🔍 다음 글을 읽고, 오늘 배울 한자를 확인해 보세요.

체험 학습 장소를 고르기 위한 회의가 열렸습니다.

공기 맑고 경치 좋은 산으로 가자는 의견과

넓고 푸른 평(平)야로 가자는 의견이 나왔어요.

우리는 평(平)화롭고 공평(平)하게 투표로 체험 학습 장소를 정했습니다.

평평할 평

저울의 모양을 본뜬 글자예요. 저울이 균형을 이루고 있는 모습에서 **평평하다, 공평하다**라는 뜻이 생겼어요.

QR을 보며 따라 써요!

🔍 **연하게 쓰인 한자를 따라 써 본 후, 빈칸에 바르게 쓰세요.**

平	平	平	平
평평할 평	평평할 평	평평할 평	평평할 평
평평할 평	평평할 평	평평할 평	평평할 평

2주

5일

상태 한자

平 평평할 평

한자어를 익혀요

혁혁. 너무 힘들다.

조금만 기운을 내. 거의 다 왔어.

그러게 넓고 평평(平平)한 들판으로 갔음 더 좋았잖아.

불평(不平)은 그만하고 저기 좀 보라고.

힘든데 뭘 자꾸 보라는 거야?

어때?

우아! 내 평생(平生) 이렇게 멋진 풍경은 처음이야.

🔍 '平(평평할 평)'이 들어간 한자어를 알아봅시다.

평 | 한글로 써 보아요.

平 | 한자로 써 보아요.

평 ◯

바닥이 고르고 판판함.

平
평평할 **평**

불 ◯

마음에 들지 아니하여 못마땅하게 여김.

不
아닐 **불**

◯ 생

세상에 태어나서 죽을 때까지의 동안

生
날 **생**

5일

상태 한자

平 평평할 평

기초 실력을 키워요

1 다음 한자의 뜻과 음(소리)으로 알맞은 것을 찾아 ◯표 하세요.

바를 정

곧을 직

平

평평할 평

아하! 이렇게 쭈는구나!

'平(평)'은 저울이 균형을 이루고 있는 모습을 본뜬 글자로, '평평하다', '공평하다'라는 뜻을 가지고 있어요.

기초 집중 연습

🐻 어휘 확인

2 ◯에 알맞은 글자를 넣어 낱말을 만드세요.

마음에 들지 아니하여
못마땅하게 여김.

▼

불◯

바닥이 고르고 판판함.

▼

◯◯

🐰 급수 유형

3 다음 뜻에 알맞은 한자를 보기 에서 찾아 그 번호를 쓰세요.

보기
① 平   ② 安   ③ 正

• 평평하다 ➔ (   )

🐰 급수 유형

4 다음 밑줄 친 한자어의 음(소리)을 보기 에서 찾아 그 번호를 쓰세요.

보기
① 평평   ② 평생   ③ 불평

• 할아버지께서는 <u>平生</u> 농사를 지으셨습니다. ➔ (   )

누구나 100점 TEST

1 다음 한자의 알맞은 뜻과 음(소리)을 찾아 선으로 이으세요.

편안하다 ·   · 全 ·   · 평

평평하다 ·   · 平 ·   · 전

2 다음 한자의 뜻과 음(소리)으로 알맞은 것에 ◯표 하세요.

安   편안 안   온전 전   곧을 직

3 다음 밑줄 친 한자의 음(소리)을 쓰세요.

자를 대고 <u>直</u>선을 그렸습니다.

→ (   )

4 다음 밑줄 친 말에 해당하는 한자를 보기 에서 찾아 그 번호를 쓰세요.

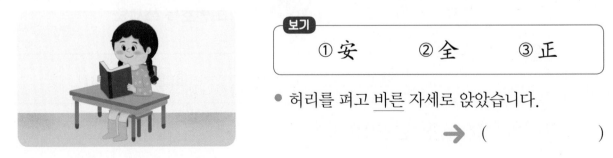

보기
① 安   ② 全   ③ 正

• 허리를 펴고 <u>바른</u> 자세로 앉았습니다.

→ (   )

5 다음 한자어의 음(소리)으로 알맞은 것에 ◯표 하세요.

안전   만전

6 다음 밑줄 친 한자어의 음(소리)을 쓰세요.

문제를 해결하니 마음이 **平安**합니다.

→ (   )

7 다음 한자어의 뜻으로 알맞은 것을 찾아 선으로 이으세요.

直前 •

• 공평하고 올바름.

• 어떤 일이 일어나기 바로 전

8 다음 밑줄 친 낱말에 해당하는 한자어를 보기 에서 찾아 그 번호를 쓰세요.

보기
① 正直   ② 安全   ③ 平平

• 정직한 나무꾼은 복을 받았습니다.

→ (   )

📖 국어+한문 다음 만화를 읽고, 성어의 뜻을 생각해 보세요.

天 下 泰 平

하늘 **천**   아래 **하**   클 **태**   평평할 **평**

너 그렇게 **천하태평**하게 있다가는 개학 날 후회할걸.

걱정하지 마. 다 계획이 있다고.

개학 3일 전

이제 슬슬 계획을 실행해 볼까?

뻘떡

친구야, 숙제한 거 한 번만 보여 줘라, 응? 제발~!

아이고, 계획이란 게 이거였니?

◆ 성어의 뜻을 살펴보며 빈칸에 알맞은 한자를 채우세요.

천

天

하

下

태

泰

평

→ '온 세상이 매우 평화롭다.'라는 뜻으로, 어떤 일에 무관심한 상태로 걱정 없이 편안하게 있는 태도를 가벼운 놀림조로 이르는 말

📖 코딩+한문 한자가 쓰인 재료를 이용해 햄버거를 만들려고 합니다. 예시 와 같이 완성된 햄버거의 순서에 맞게 한자의 뜻과 음(소리)을 쓰세요.

安 全

正 直 平

예시 ················ (편안 안)

················ ( )

················ ( )

················ ( )

················ ( )

📖 코딩+한문 로봇과 가위바위보 놀이를 합니다. 로봇에게 모두 이기려고 할 때, 친구가
내야 할 팻말 속 한자어의 음(소리)을 쓰세요.

📖 체육+한문 다음 그림을 보고, 물음에 답하세요.

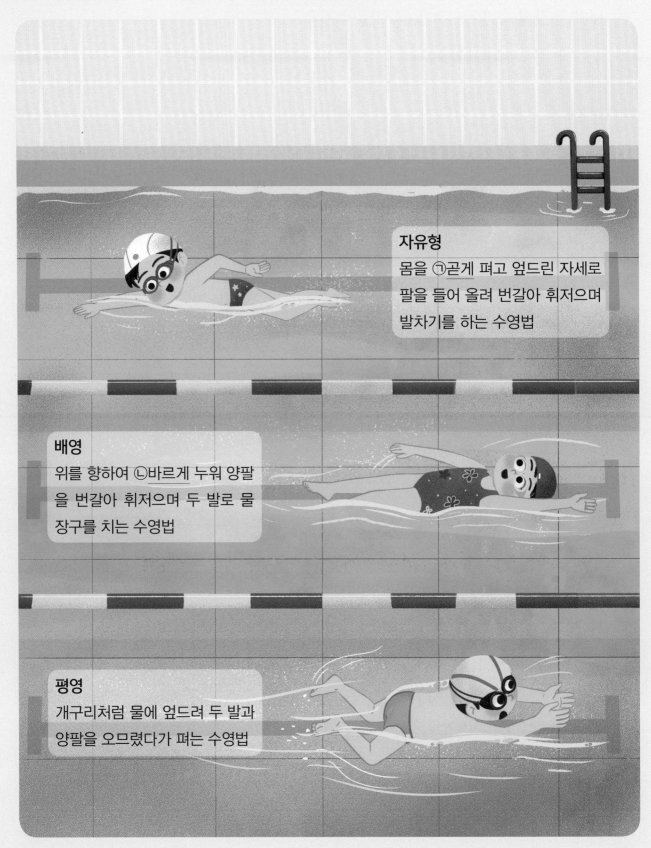

자유형
몸을 ⊙곧게 펴고 엎드린 자세로
팔을 들어 올려 번갈아 휘저으며
발차기를 하는 수영법

배영
위를 향하여 ⓛ바르게 누워 양팔
을 번갈아 휘저으며 두 발로 물
장구를 치는 수영법

평영
개구리처럼 물에 엎드려 두 발과
양팔을 오므렸다가 펴는 수영법

1 ㉠과 ㉡에 해당하는 한자를 찾아 선으로 이으세요.

㉠ •　　　　　　　　　　　　　• 直

㉡ •　　　　　　　　　　　　　• 正

2 다음 ☐ 안에 들어갈 한자에 ◯표 하세요.

☐영은 개구리헤엄이라고도 합니다.

平　／　全

3 다음 밑줄 친 한자어의 음(소리)을 쓰세요.

수영장에서는 <u>安全</u> 수칙을
잘 지켜야 합니다.

답 ＿＿＿＿＿＿＿＿＿

3주에는 무엇을 공부할까? ❶

1일 市 저자 시 **2일** 場 마당 장 **3일** 農 농사 농

4일 車 수레 거/차 **5일** 道 길 도

⭐ 이번 주에 배울 한자들이 그림 속에 숨어 있어요. 보기 를 참고해서 한자를 찾아보세요.

보기

市 저자 시   場 마당 장   農 농사 농   車 수레 거/차   道 길 도

市

전통 시장

農

道

市 저자 시

🔍 다음 글을 읽고, 오늘 배울 한자를 확인해 보세요.

도시(市) 한 귀퉁이에 있는 마을 뒷동산은 내 놀이터입니다.
구석구석 내 발길이 닿지 않은 곳이 없지요.
그런데 그곳이 시(市)민 공원으로 탈바꿈했습니다.
이젠 더 많은 사람들에게 쉼터가 되고,
몸과 마음을 건강하게 만들어 주는 장소가 되겠지요?

오늘 배울 한자

市

저자 시

저자 시

[많은 사람이 모여 물건을 사고파는 장소를
나타낸 글자로, **시장**을 뜻해요.]

QR을 보며 따라 써요!

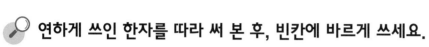

🔍 **연하게 쓰인 한자를 따라 써 본 후, 빈칸에 바르게 쓰세요.**

市	市	市	市
저자 시	저자 시	저자 시	저자 시
저자 시	저자 시	저자 시	저자 시

3주

市 저자 시

오늘 미술 수업은 밖에 나가서 할까요?

예!

그럼 그림 도구를 준비해서 학교 옆에 있는 시민(市民) 공원으로 가요!

와, 시내(市內)가 한눈에 다 보이네!

전망이 좋지? 여기 벤치에 앉아 그림 그리자.

저기 시청을 중심으로 해서 그리면 좋겠다. 그리고 시청 뒤쪽에 있는 전통 시장(市場)도 그리고, 또……

넌 입으로 그림 그리니? 내가 도와줄 거라는 기대는 하지 마!

아, 알았어……. 치이.

🔍 '市(저자 시)'가 들어간 한자어를 알아봅시다.

 한글로 써 보아요.

 한자로 써 보아요.

민

도시에 사는 사람

民

백성 **민**

내

도시의 안

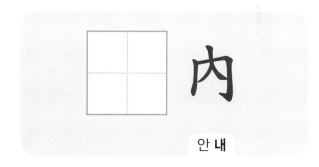

內

안 **내**

장

여러 가지 상품을 사고파는 일정한 장소

場

마당 **장**

市 저자 시

1일
생활 한자

1 마을 지도에서 '市'의 뜻과 가장 어울리는 장소를 찾아 ✔표 하세요.

🐰**아하! 이렇게 쓰는구나!**

'市(시)'는 많은 사람들이 모여 물건을 사고파는 장소(시장)를 나타낸 글자예요.

기초 집중 연습

🐻 어휘 확인

2 다음 그림이 나타내는 낱말을 찾아 선으로 이으세요.

도시에 사는 사람

여러 가지 상품을
사고파는 일정한 장소

도시의 안

시장   시내   시민

🐰 급수 유형

3 다음 밑줄 친 한자어의 음(소리)을 보기 에서 찾아 그 번호를 쓰세요.

보기
① 시내   ② 시민   ③ 시장

• 운동장에 모인 <u>市民</u>들이 파도타기 응원을 시작하였습니다. → (   )

🐰 급수 유형

4 다음 한자의 뜻을 보기 에서 찾아 그 번호를 쓰세요.

보기
① 저자   ② 농사   ③ 나라

• 市 → (   )

場 마당 장

🔍 다음 글을 읽고, 오늘 배울 한자를 확인해 보세요.

푸르른 하늘, 하얀 구름을 보며 생각에 잠깁니다.
백일장(場) 대회에 참가하였거든요.
엄마와 함께 시장(場)에 갔던 일을 쓰고 싶은데,
그래서 작은 상이라도 받아 가고 싶은데
심사하시는 선생님이 내 마음 알아주실까요?

오늘 배울 한자

場

마당 장

마당 장

[햇빛이 넓은 마당을 비추고 있는 모습을 나타낸 글자로, **마당**을 뜻해요.]

QR을 보며 따라 써요!

🔍 **연하게 쓰인 한자를 따라 써 본 후, 빈칸에 바르게 쓰세요.**

場	場	場	場
마당 장	마당 장	마당 장	마당 장
마당 장	마당 장	마당 장	마당 장

3주

場 마당 장

여긴 시장 가는 길이 아니잖아요?

이번에 시장을 넓은 장소(場所)로 옮겨서 새로 열었다는구나.

그러면 우리가 자주 가던 만둣집은 그대로 있을까요?

한번 가 볼까?

우와, 그대로 같이 옮겨왔네요!

온 김에 만두 먹고 가자.

여기 만두는 어쩜 이리 맛있을까요?

허허. 우리 만두는 공장(工場)에서 만든 게 아니고 아침마다 제가 직접 빚어 만들거든요.

너 곧 백일장(白日場) 있지? 뭘 쓸지는 정했니?

앗, 깜빡하고 있었다!

저런…… 그럼 엄마가 정해 줄까?

……. 만두!

호호호

하하하

🔍 '場(마당 장)'이 들어간 한자어를 알아봅시다.

 한글로 써 보아요.

 한자로 써 보아요.

어떤 일이 이루어지거나 일어나는 곳

바 소

물건을 만들어 내는 곳

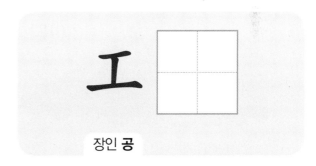

장인 공

글짓기 대회

흰 백   날 일

2일 場 마당 장

1 다음 그림 속 한자의 뜻 또는 음(소리)을 [보기]에서 찾아 쓰세요.

보기

저자   장   마당   시

市
( )시

場
마당( )

아하! 이렇게 푸는구나!

'場(장)'은 마당, '市(시)'는 물건을 사고파는 장소인 시장(저자)을 뜻하는 글자예요.

기초 집중 **연습**

어휘 확인

2 다음에서 ☐ 안에 들어갈 말로 알맞은 것에 ◯표 하세요.

시장에 있는 만두 가게는 우리들이 자주 만나는 ☐☐예요.

장소 / 시내

이번 ☐☐☐에서는 꼭 상을 타 어머니를 기쁘게 해 드리고 싶습니다.

백일장 / 일기장

급수 유형

3 다음 한자의 음(소리)을 보기 에서 찾아 그 번호를 쓰세요.

보기
① 시   ② 장   ③ 공

• 場 → (   )

급수 유형

4 다음 밑줄 친 말에 해당하는 한자를 보기 에서 찾아 그 번호를 쓰세요.

보기
① 家   ② 市   ③ 場

• 학교 운동장에서는 하루 종일 축제의 <u>마당</u>이 펼쳐졌습니다. → (   )

農 농사 농

🔍 다음 글을 읽고, 오늘 배울 한자를 확인해 보세요.

주말이 되면 우리는 시골 농(農)장에 갑니다.
우리 가족이 먹을 여러 가지 채소를 심기도 하고,
잘 자라도록 김을 매고 가꾸어 줍니다.
그리고 이웃한 마을 농(農)민들과 함께
맛있는 새참도 나누어 먹습니다.

주말 농장

오늘 배울 한자
農
농사 농

농사 농

[농기구로 밭을 가는 모습을 나타낸 글자로, 농사라는 뜻이에요.]

QR을 보며 따라 써요!

🔍 **연하게 쓰인 한자를 따라 써 본 후, 빈칸에 바르게 쓰세요.**

農	農	農	農
농사 농	농사 농	농사 농	농사 농
농사 농	농사 농	농사 농	농사 농

3주

주말 농장

아버지, 이웃 농가(農家)처럼 우리도 토마토 심어요!

그러자꾸나. 그런데 우리 농장(農場)에는 네가 좋아하는 채소들만 가득하겠구나.

헤헤헤.

한 달 후

제가 가꾼 토마토예요. 모두들 맛있게 드세요!

그래, 우리 꼬마 농민(農民) 아저씨 정성이 듬뿍 들어간 토마토를 먹으니 몸이 건강해지는 것 같구나.

전 이다음에 커서 진짜 훌륭한 농민이 될 거예요!

그래, 그땐 아빠 좋아하는 당근도 좀 심어 주겠니?

당근이죠~!!!

호호호   하하하

'農(농사 농)'이 들어간 한자어를 알아봅시다.

 한글로 써 보아요.

 한자로 써 보아요.

농사짓는 일을 하는 사람의 집

집 **가**

농사지을 땅과 농기구가 있는 곳

마당 **장**

농사짓는 일을 하는 사람

백성 **민**

1 사다리를 타고 내려가 한자의 뜻 또는 음(소리)을 쓰세요.

農 市 場

저자 (　　) 　　마당 (　　) 　　(　　) 농

🐰 **아하!** 이렇게 푸는구나!

'農(농)'은 농사, '市(시)'는 저자, '場(장)'은 장소를 나타내는 글자예요.

기초 집중 연습

😊 **어휘 확인**

2 ◯에 알맞은 글자를 넣어 낱말을 만드세요.

농사지을 땅과 농기구가
있는 곳

⬇

◯ 장

농사짓는 일을 하는 사람

⬇

◯ 민

농사짓는 일을 하는
사람의 집

⬇

◯ ◯

🐰 **급수 유형**

3 다음 한자어의 음(소리)을 **보기** 에서 찾아 그 번호를 쓰세요.

> **보기**
>
> ① 농가 ② 농장 ③ 농민

• 農場 ➡ (   )

🐰 **급수 유형**

4 **보기** 와 같이 다음 한자의 뜻과 음(소리)을 쓰세요.

> **보기**
>
> 場 ➡ 마당 장

• 農 ➡ (   )

車 수레 거/차

🔍 다음 글을 읽고, 오늘 배울 한자를 확인해 보세요.

자동차 박람회 견학을 가고 있어요.

아빠 자동차(車)로 가면 좀 빠르지만, 나는 버스를 타는 게 좋아요.

차(車)창 밖으로 펼쳐지는 경치를 보며 가는 것도 좋고,

여러 사람들과 함께 가는 것도 좋아요.

버스가 정거(車)장에 설 때마다

사람들은 저마다 꿈을 안고 오르고 내리지요.

오늘 배울 한자

車

수레 거/차

수레 거/차

[수레의 모양을 본뜬 글자로, 수레나 수레
바퀴라는 뜻을 가지고 있어요.]

QR을 보며 따라 써요!

🔍 **연하게 쓰인 한자를 따라 써 본 후, 빈칸에 바르게 쓰세요.**

車	車	車	車
수레 거/차	수레 거/차	수레 거/차	수레 거/차
수레 거/차	수레 거/차	수레 거/차	수레 거/차

3주

4일

생활 한자

車 수레 거/차

한자어를 익혀요

자동차(自動車) 모양이 참 다양하구나!

와, 이 자동차는 날렵하게 생긴 게 꼭 하늘이라도 날 것 같아!

한번 타 보고 싶다……

그럼 우리 저쪽에 가서 우주 열차 타자!

여기는 우주 열차 태극호입니다. 승객 여러분께서는 안전하게 탑승하여 주시기 바랍니다.

오오~

쭈뼛

와유!

쭈뼛

잠시 후

지구에 도착하였습니다. 승객 여러분께서는 차례를 지켜 안전하게 하차(下車)하여 주시기 바랍니다.

휴~, 차창(車窓) 밖으로 보이는 별들의 세계는 진짜 우주여행을 하는 기분이었어.

난 우주로 신혼여행 갈 거야.

나도 데려가 줄래?

으이구~

🔍 '車(수레 거/차)'가 들어간 한자어를 알아봅시다.

한글로 써 보아요.

한자로 써 보아요.

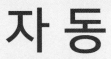

원동기의 힘으로 바퀴를 굴려서 땅 위를
움직이도록 만든 차

스스로 **자**   움직일 **동**

타고 있던 차에서 내림.

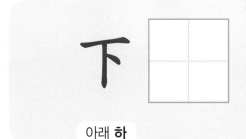

아래 **하**

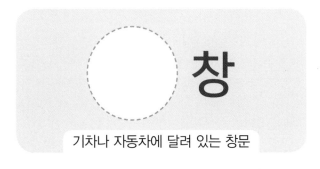

기차나 자동차에 달려 있는 창문

창 **창**

4일

생활 한자

車 수레 거/차   기초 실력을 키워요

1 다음 그림이 나타내는 한자의 모양, 뜻, 음(소리)에 ◯표 하세요.

한자: (農 / 車)

뜻: (수레 / 마당)
음: (농 / 거·차)

🐰 **아하! 이렇게 푸는구나!**

'車'는 수레의 모양을 본뜬 글자로, '거' 또는 '차'라는 두 가지 음(소리)이 있어요.

기초 집중 연습

😊어휘 확인

2 '車(수레 거/차)'가 들어 있는 낱말을 찾아 ◯표 하세요.

자동<u>차</u>

보리<u>차</u>

일교<u>차</u>

🐰급수 유형

3 다음 밑줄 친 말에 해당하는 한자를 보기 에서 찾아 그 번호를 쓰세요.

> 보기
>
> ① 車   ② 農   ③ 場

● 큰 바퀴를 가진 <u>수레</u>는 인류의 문명을 크게 발전시켰습니다.

→ (   )

🐰급수 유형

4 다음 밑줄 친 한자의 음(소리)을 쓰세요.

요즘은 공해가 없는 전기 자동<u>車</u>가 인기입니다.   → (   )

道 길 도

🔍 다음 글을 읽고, 오늘 배울 한자를 확인해 보세요.

오늘 배울 한자
道
길 도

천천히

다1007

학교 가는 길[道]이 공사 중이어서
우리들은 조심조심 길[道]을 걷습니다.
도(道)로를 지나다니는 차들도
우리를 보고 따라서 살금살금 길[道]을 갑니다.

길 도

사람이 지나다니는 **길**을 뜻해요. 또 사람이 가야 할 올바른 길이라는 의미에서 **도리**나 **이치**를 뜻하기도 해요.

QR을 보며 따라 써요!

🔍 **연하게 쓰인 한자를 따라 써 본 후, 빈칸에 바르게 쓰세요.**

道	道	道	道
길 도	길 도	길 도	길 도
길 도	길 도	길 도	길 도

3주

5일

생활 한자

道 길 도

휴~, 하마터면 차에 치일 뻔했다······.

빠앙

인도(人道)로 다녀야지, 아무 길이나 막 다니면 어떡하니?

공사 중이라 인도와 차도(車道)가 잘 구분이 안 돼서 그랬어.

그래도 그렇지, 네가 다치기라도 했으면 부모님께서 얼마나 걱정하셨겠니? 그건 자식으로서의 도리(道理)가 아냐!

끄응

앗, 깜빡했다! 학원 갈 시간이다!

으이구, 저 사고뭉치······.

철푸덕

아이쿠

🔍 '道(길 도)'가 들어간 한자어를 알아봅시다.

 한글로 써 보아요.

 한자로 써 보아요.

인 ◯

사람이 다니는 길

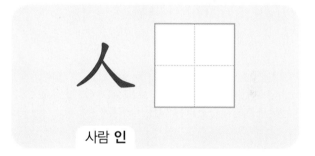

人 □

사람 인

차 ◯

자동차가 다니는 길

車 □

수레 거/차

◯ 리

마땅히 행하여야 할 바른길

□ 理

다스릴 리

3
주

5일 道 길 도

생활 한자

1 다음과 같은 뜻과 음(소리)으로 이어진 길을 따라가 해당하는 한자를 보기 에서 찾아 쓰세요.

보기
車 農 道

수레 거/차

길 도

농사 농

🐰 **아하!** 이렇게 푸는구나!

'車(수레 거/차)'는 수레의 모양을 본뜬 글자이고, '道(길 도)'는 사람이 지나가는 길, '農(농사 농)'은 농기구로 밭을 가는 모습을 나타낸 글자예요.

기초 집중 연습

😊 어휘 확인

2 다음 뜻에 해당하는 낱말을 찾아 선으로 이으세요.

마땅히 행하여야 할 바른길

•

자동차가 다니는 길

•

•

차도

•

도리

🐰 급수 유형

3 다음 밑줄 친 한자의 음(소리)을 쓰세요.

길을 걸을 때는 인<u>道</u>를 이용해야 안전합니다.　→　(　　　　　　)

🐰 급수 유형

4 다음 한자의 뜻을 보기 에서 찾아 그 번호를 쓰세요.

보기
　　　　　① 시장　　　② 수레　　　③ 길

• 道　→　(　　　　　　)

1 다음 그림이 나타내는 낱말을 찾아 선으로 이으세요.

· 시장

· 농장

2 다음 뜻에 알맞은 한자를 보기 에서 찾아 그 번호를 쓰세요.

보기
① 市   ② 道   ③ 車

● 저자(시장) ➡ (   )

3 다음 밑줄 친 말에 해당하는 한자를 보기 에서 찾아 그 번호를 쓰세요.

보기
① 場   ② 農   ③ 道

● 방과 후 집에 가는 <u>길</u>은 발걸음이 가볍습니다.

➡ (   )

4 다음 밑줄 친 한자어의 음(소리)으로 알맞은 것에 ◯표 하세요.

우리 **農場**에서는 토마토가 빨갛게 익어 가고 있습니다.

농민 / 농장

5 다음 한자의 음(소리)으로 알맞은 것을 두 개 찾아 색칠하세요.

 → 차 / 도 / 거

6 다음 한자의 뜻을 찾아 선으로 이으세요.

場 ·

· 길

道 ·

· 마당

7 다음 밑줄 친 말에 해당하는 한자를 보기 에서 찾아 그 번호를 쓰세요.

보기
① 市   ② 農   ③ 場

● 아버지는 농<u>사</u>일로 여념이 없으십니다.

→ (   )

8 다음 밑줄 친 한자의 음(소리)을 쓰세요.

부모님께 걱정을 끼치지 않는 것이
자식의 道리입니다.

→ (   )

국어+한문 다음 만화를 읽고, 성어의 뜻을 생각해 보세요.

門 前 成 市

문 **문**　앞 **전**　이룰 **성**　저자 **시**

내일은 할머니 할아버지 댁에 다녀오자꾸나!

좋아요!

할머니 생신을 맞아 가족들이 모여서 간단히 식사하기로 했단다.

아, 할머니 생일잔치구나!

다음 날

할머니, 생신 축하드려요!

오냐, 우리 강아지. 착하구나.

근데 할머니, 저 강아지 아녜요!

호 호 호

하하하

◆ 성어의 뜻을 살펴보며 빈칸에 알맞은 한자를 채우세요.

→ '대문 앞이 저자(시장)를 이룬다.'는 뜻으로, 찾아오는 사람이 많아 집 문 앞이 북적이는 모습을 이르는 말

3주 특강 생각을 키워요 ②

창의·융합·코딩

📖 코딩+한문 다음 순서도의 조건에 맞게 움직였을 때, 해당하는 위치를 차지하고 있는 한자에 색칠해 보세요.

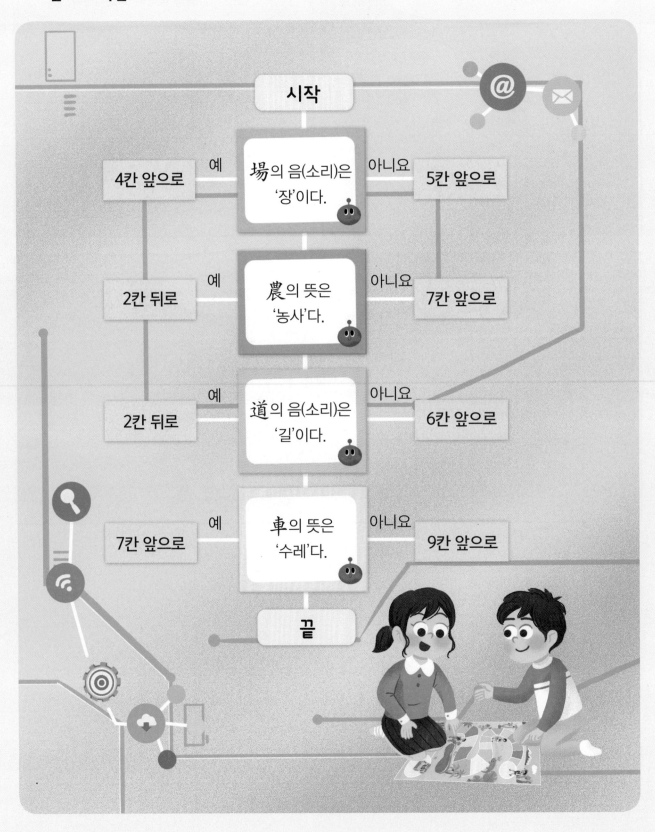

시작

場의 음(소리)은 '장'이다.
예 → 4칸 앞으로
아니요 → 5칸 앞으로

農의 뜻은 '농사'다.
예 → 2칸 뒤로
아니요 → 7칸 앞으로

道의 음(소리)은 '길'이다.
예 → 2칸 뒤로
아니요 → 6칸 앞으로

車의 뜻은 '수레'다.
예 → 7칸 앞으로
아니요 → 9칸 앞으로

끝

📖 체육+한문 한자 시계를 보며 눈 체조를 해 보고, 물음에 답하세요.

구령에 맞춰 목은 돌리지 않고 눈만 돌립니다.

① 눈에 힘을 빼고, 시계 가운데를 보고 하나, 둘, 셋!

② 눈을 감은 채로 하나, 둘, 셋!

③ 눈을 최대한 부릅뜨고 하나, 둘, 셋!

④ 시선을 왼쪽(9시 방향)으로 고정하고 하나, 둘, 셋!

⑤ 시선을 오른쪽(3시 방향)으로 고정하고 하나, 둘, 셋!

⑥ 시선을 위쪽(12시 방향)으로 고정하고 하나, 둘, 셋!

⑦ 시선을 아래쪽(6시 방향)으로 고정하고 하나, 둘, 셋!

⑧ 마지막으로, 양 집게손가락으로 눈 주위를 지그시 누르면서 안쪽에서 바깥쪽으로 원을 그리듯이 문질러 줍니다.

1 시계 중앙에 있는 한자의 뜻과 음(소리)을 쓰세요.

뜻: (   )   음: (   )

2 눈 체조를 하면서 대화한 내용입니다. ☐에 알맞은 말을 쓰세요.

다은아, 눈 체조가 재미있지?

응, 난 '눈을 감은 채로 하나, 둘, 셋'이 좋았어.
아무도 보지 않으니 누가 꿀밤을 먹여도 모를 거야.

하하하. 난 '눈을 부릅뜨고 하나, 둘, 셋'이 좋았어.
눈을 부릅뜬 내 모습을 보면 너도 무서워서 도망갈 거야.

호호호. 그런데 12시 방향에 있는 한자는 무슨 자니?

그건 '길 ☐' 자야.

그렇구나. 6시에 있는 한자는 자동차를 나타낸 것 같은데,
아마 이와 관련된 한자일 거야, 그렇지?

정답! 수레 모양을 본뜬 '수레 ☐/☐' 자야.

3 시선을 왼쪽, 오른쪽으로 고정하였을 때 보이는 한자어의 음(소리)으로 알맞은 것을 찾아 ✔표 하세요.

☐ 시장   ☐ 농장

동네 입구가
왜 이리
소란이지?

구경하고 싶은데 사람이
너무 많아서 어떤 행사인지
알 수가 없네.

여기 현수막이 있어.

世대 통합 어울림 行事
• 漢자 도장 만들기 체험
• 신토不이 농산物 매장
• 민속놀이 체험
• 초대 가수 공연

가수가 온다는 건 알겠는데……

한자를 색칠해 봐!

世

와! 한글로 바뀌었다.

세대 통합 어울림 행사
• 한자 도장 만들기 체험
• 신토불이 농산물 매장
• 민속놀이 체험
• 초대 가수 공연

4주에는 무엇을 공부할까? ❷

⭐ 이번 주에 배울 한자들이 그림 속에 숨어 있어요. 보기 를 참고해서 한자를 찾아보세요.

보기

事 일 사   物 물건 물   漢 한수/한나라 한   世 인간 세   不 아닐 불

事 일 사

🔍 다음 글을 읽고, 오늘 배울 한자를 확인해 보세요.

친구들이랑 놀이터에서 놀다가 넘어졌어요.
이런! 온몸이 공사(事)장처럼 흙투성이가 되었네요.
"와!" 하고 친구들이 웃었어요.
부끄러워서 아무렇지도 않은 척 벌떡 일어섰지만
사(事)실은 무척 아팠어요.

오늘 배울 한자

事

일 사

일 사

事

[깃발을 단 깃대를 손에 든 모양을 나타낸 글자로, **일**을 뜻해요.]

QR을 보며 따라 써요!

🔍 **연하게 쓰인 한자를 따라 써 본 후, 빈칸에 바르게 쓰세요.**

事	事	事	事
일 사	일 사	일 사	일 사
일 사	일 사	일 사	일 사

4주

事 일 사

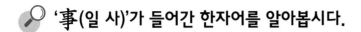 **'事(일 사)'가 들어간 한자어를 알아봅시다.**

사 한글로 써 보아요.

인 ◯

안부를 묻거나 공경을 표하는 일

事 한자로 써 보아요.

人 ☐

사람 **인**

공 ◯

토목이나 건축 따위의 일

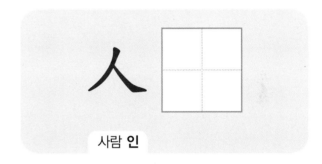

工 ☐

장인 **공**

◯ 전

일을 시작하기 전

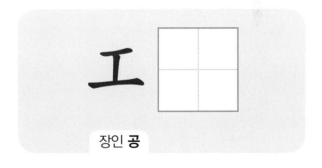

☐ 前

앞 **전**

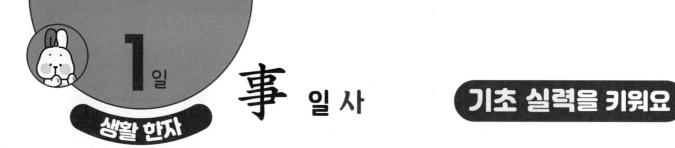

事 일 사

1 그림 속에 있는 '事' 자의 뜻을 찾아 ✔표 하세요.

☐ 수레　　☐ 길　　☐ 일

아하! 이렇게 푸는구나!

'事(사)'는 깃발을 손에 들고 있는 모양을 나타낸 글자로, '일'을 뜻해요.

기초 집중 연습

2 다음 뜻에 해당하는 낱말을 찾아 선으로 이으세요.

안부를 묻거나 공경을
표하는 일

•

토목이나 건축 따위의 일

•

•

공사

•

인사

3 다음 밑줄 친 한자의 음(소리)을 쓰세요.

준비물은 <u>事</u>전에 준비해 두어야 합니다. → (   )

4 보기와 같이 다음 한자의 뜻과 음(소리)을 쓰세요.

보기

道 → 길 도

• 事 → (   )

4
주

物 물건 물

🔍 다음 글을 읽고, 오늘 배울 한자를 확인해 보세요.

엄마는 바다를 좋아해요.

많은 생물(物)들이 살고 있는 바다.

그 바다 냄새를 맡을 수 있어서일까요?

엄마는 수산물(物) 시장에 자주 가지요.

내일은 나도 따라갈 거예요.

오늘 배울 한자

物

물건 물

물건 물

제사 지낼 때 제물로 바치던 소를 나타낸 글자예요. 제물을 나타낸 데서 **물건**이라는 뜻이 생겼어요.

QR을 보며 따라 써요!

🔍 **연하게 쓰인 한자를 따라 써 본 후, 빈칸에 바르게 쓰세요.**

物	物	物	物
물건 물	물건 물	물건 물	물건 물
물건 물	물건 물	물건 물	물건 물

4주

2일

생활 한자

物 물건 물

엄마, 저기 문어 좀 보세요. 몸을 꿈틀거리고 있어요.

그렇구나.

수산물시장

어서 오세요. 크기도 크고 싱싱한 생물(生物) 문어입니다.

○○ 횟

호호호~

꺄아악~

철썩

그날 저녁

오늘은 내가 좋아하는 문어 요리구나!

아까까지만 해도 팔팔하게 살아 있었는데…….

아이구 우리 딸, 문어 같은 생물과 사물(事物)에도 공감하다니…….

다은이는 감수성이 풍부해서 나중에 예술 분야의 큰 인물(人物)이 될지도 모르겠는걸?

자, 그럼 다은이는 문어가 불쌍해서 못 먹을 테니 아빠가 다 먹을게.

그, 그건 안 돼요!

쩝쩝

후루룩~

'物(물건 물)'이 들어간 한자어를 알아봅시다.

 한글로 써 보아요.   物 한자로 써 보아요.

생 ◯

생명을 가지고 있는 물체

生 ☐

날 생

사 ◯

개개의 구체적인 물건

事 ☐

일 사

인 ◯

사람 또는 뛰어난 사람

人 ☐

사람 인

4주

2일 **생활 한자**

物 물건 물

1 다음 한자의 뜻과 음(소리)으로 알맞은 것을 찾아 선으로 이으세요.

物 · · 일 사

事 · · 물건 물

🐰**아하!** 이렇게 푸는구나!

'物(물)'은 제사 지낼 때 제물을 바치던 소를 나타낸 글자로, 소가 제물을 나타난 데서 '물건'을 뜻하고, '事(사)'는 깃발을 단 깃대를 손에 든 모양을 나타낸 데서 '일'을 뜻하는 글자가 되었어요.

기초 집중 연습

😊 어휘 확인

2 낱말판에서 설명 에 해당하는 낱말을 찾아 ◯표 하세요.

장	일	생
식	인	물
공	사	상

설명
사람 또는 뛰어난 사람

🐰 급수 유형

3 다음 한자의 음(소리)을 보기 에서 찾아 그 번호를 쓰세요.

보기
① 사   ② 물   ③ 건

• 物 ➜ (   )

🐰 급수 유형

4 다음 밑줄 친 말에 해당하는 한자를 보기 에서 찾아 그 번호를 쓰세요.

보기
① 物   ② 事   ③ 場

• 사용한 물건은 제자리에 정리합니다. ➜ (   )

3일
기타 한자

漢 한수/한나라 한

🔍 다음 글을 읽고, 오늘 배울 한자를 확인해 보세요.

오늘 배울 한자

漢
한수/한나라 한

아침 일찍 눈이 떠졌어요.
오늘은 엄마 아빠랑 등산도 하고
저녁에는 한(漢)강 유람선도 탈 거예요.
참, 그 전에 먼저 한(漢)자 공부 끝내고요.

한수/한나라 한

[중국 중부 지역에서 번성했던 한족을 대표
하는 글자로, 한수, 한나라를 뜻해요.]

QR을 보며 따라 써요!

🔍 **연하게 쓰인 한자를 따라 써 본 후, 빈칸에 바르게 쓰세요.**

漢	漢	漢	漢
한수/한나라 **한**	한수/한나라 **한**	한수/한나라 **한**	한수/한나라 **한**
한수/한나라 **한**	한수/한나라 **한**	한수/한나라 **한**	한수/한나라 **한**

4주

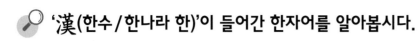 '漢(한수/한나라 한)'이 들어간 한자어를 알아봅시다.

 한글로 써 보아요.

 한자로 써 보아요.

강

우리나라 중부를 흐르는 강

江

강 **강**

자

고대 중국에서 만든 문자

字

글자 **자**

북 산

서울시 북부와 고양시 사이에 있는 산

北 山

북녘 **북** 메 **산**

4
주

3일 기타 한자 · 漢 한수/한나라 한 · 기초 실력을 키워요

1 다음 한자의 뜻과 음(소리)으로 바른 것에 ✔표 하세요.

🐰**아하!** 이렇게 푸는구나!

'漢(한)'은 중국 중부 지역의 강인 '한수'와 이 지역에 세워진 '한나라'를 뜻하는 글자예요.

기초 집중 연습

 어휘 확인

2 다음 뜻에 해당하는 낱말을 찾아 선으로 이으세요.

고대 중국에서 만든 문자

•

• 한강

우리나라 중부를 흐르는 강

•

• 한자

급수 유형

3 다음 밑줄 친 음(소리)에 해당하는 한자를 보기 에서 찾아 그 번호를 쓰세요.

┌─ 보기 ─────────────────────────────────┐
│   ① 事   ② 物   ③ 漢   │
└───────────────────────────────────────┘

● 하루에 한 자씩 배우는 한자 공부 시간이 기다려집니다. ➔ (   )

급수 유형

4 다음 한자의 뜻을 보기 에서 찾아 그 번호를 쓰세요.

┌─ 보기 ─────────────────────────────────┐
│   ① 한국   ② 한수/한나라   ③ 한마음   │
└───────────────────────────────────────┘

● 漢 ➔ (   )

4
주

世 인간 세

🔍 다음 글을 읽고, 오늘 배울 한자를 확인해 보세요.

케이블카를 타고 산꼭대기까지 올라갑니다.

울긋불긋 온 산이 물들었습니다.

참 아름다운 세(世)상입니다.

이 아름다운 세(世)상을 우리가 잘 보존해서

후세(世)에 물려주어야겠다고 다짐했습니다.

오늘 배울 한자

世

인간 세

인간 세

[열십자(十) 세 개를 합하여 사람의 한 세대가 30년임을 나타낸 글자로, **인간**, **세대**, **세상**을 뜻해요.]

공부한 날
月
日

QR을 보며 따라 써요.

🔍 **연하게 쓰인 한자를 따라 써 본 후, 빈칸에 바르게 쓰세요.**

世	世	世	世
인간 세	인간 세	인간 세	인간 세
인간 세	인간 세	인간 세	인간 세

4주

케이블카도 타고 신났다면서 왜 그렇게 시무룩해 있니?

여행도 다녀왔는데 숙제도 안 하고 컴퓨터 게임만 한다고 엄마한테 꾸중 들었어.

엄마는 네가 성공해서 출세(出世)하기만 바라는 건 아냐.

네 할 일은 안 하고 게임만 하고 있으니 걱정돼서 하는 소리야.

쯧쯧. 그러면 안 되지.

알아, 하지만 세상(世上)에서 컴퓨터 게임이 제일 재미있는걸 뭐…….

난 후세(後世)에 길이 남는 프로게이머가 될 거야. 그리고 그 꿈을 이루기 위해 노력할 거야.

어떤 노력?

그야 당연히 열심히 게임하는 노력이지!

아이고~.

꼼지락 꼼지락

'世(인간 세)'가 들어간 한자어를 알아봅시다.

세 한글로 써 보아요.

世 한자로 써 보아요.

출◯

높은 지위에 오르거나 유명하게 됨.

出☐

날 출

◯상

사람이 사는 모든 사회

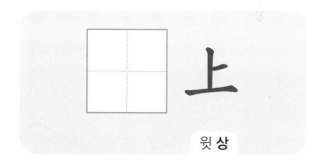

☐上

윗 상

후◯

다음에 오는 세상

後☐

뒤 후

世 인간 세

기초 실력을 키워요

1 한자의 뜻과 음(소리)이 맞으면 ○, 틀리면 ✕ 표시를 따라가 보물을 찾아보세요.

物 → 물건 물

漢 → 한국 한

출발

世 → 인간 세

아하! 이렇게 푸는구나!

物(물)은 '물건', 漢(한)은 '한수', '한나라', 世(세)는 '인간', '세상', '세대'라는 뜻을 가지고 있어요.

😊 **어휘 확인**

2 다음 문장에 들어갈 말로 어울리는 낱말을 찾아 ◯표 하세요.

우리가 살아가는 (출세 / 세상)은/는
또 우리의 후세들이 살아야 할 곳입니다.

내가 공부하는 것은 (후세 / 출세)하기 위해서가
아니라 세상을 알기 위해서입니다.

🐰 **급수 유형**

3 다음 한자의 뜻을 **보기**에서 찾아 그 번호를 쓰세요.

> **보기**
>
> ① 인간　　　② 물건　　　③ 한수/한나라

• 世 → (　　　　　　)

🐰 **급수 유형**

4 다음 밑줄 친 한자의 음(소리)을 쓰세요.

자원을 아껴서 후<u>世</u>에 물려주어야 합니다.　→　(　　　　　　)

不 아닐 불

🔍 다음 글을 읽고, 오늘 배울 한자를 확인해 보세요.

자전거를 타다 넘어져 다리를 다쳤습니다.
목발을 하고 있으니 여러 가지로 불(不)편합니다.
더구나 내일은 옆 반과 축구 시합을 하는데,
내가 빠져서 우리 반이 불(不)리합니다.
이래저래 울적한 이 마음을 누가 알아줄까요?

오늘 배울 한자

不
아닐 불

아닐 불

[새가 날아 올라가서 내려오지 않음을 본뜬 글자로, **아니다**를 뜻해요.]

QR을 보며 따라 써요!

🔍 **연하게 쓰인 한자를 따라 써 본 후, 빈칸에 바르게 쓰세요.**

不	不	不	不
아닐 불	아닐 불	아닐 불	아닐 불
아닐 불	아닐 불	아닐 불	아닐 불

4주

🔍 '不(아닐 불)'이 들어간 한자어를 알아봅시다.

불 한글로 써 보아요.

不 한자로 써 보아요.

○편

어떤 것을 사용하거나 이용하는 것이
거북하거나 괴로움.

便

편할 **편**/똥오줌 **변**

○리

이롭지 아니함.

利

이할 **리**

'不'자는 'ㄷ', 'ㅈ'으로
시작하는 말 앞에서는 '부'로
읽어요. (예) 부당, 부족)

○족

필요한 양이나 기준에 미치지 못해
충분하지 아니함.

'足'은 '만족
하다'라는 뜻도
있어요.

足

발 **족**

5일

기타 한자

不 아닐 불

1 그림 속에 숨어 있는 한자를 찾아 ◯표 하고, 뜻과 음(소리)을 보기 에서 찾아 쓰세요.

보기

인간 세   아닐 불   일 사

아하! 이렇게 푸는구나!

世(세)는 '인간', '세상', '세계', 事(사)는 '일', 不(불)은 '아니다'를 뜻하는 글자예요. 한자 모양에 유의하면서 그림 속에 숨어 있는 글자를 찾아보세요.

기초 집중 연습

😊 어휘 확인

2 다음에서 '不(아닐 불)'이 들어 있는 낱말을 찾아 ⃝표 하세요.

절에 모셔진 (<u>불상</u>)

(<u>불편</u>)한 출입문

😊 급수 유형

3 다음 밑줄 친 낱말에 해당하는 한자어를 보기 에서 찾아 그 번호를 쓰세요.

보기
① 不便   ② 不利   ③ 不足

• 늘 <u>부족</u>한 내 용돈 → (   )

😊 급수 유형

4 다음 한자의 뜻을 보기 에서 찾아 그 번호를 쓰세요.

보기
① 아니다   ② 어렵다   ③ 그렇다

• 不 → (   )

누구나 100점 TEST

1 다음 한자의 뜻으로 알맞은 그림을 찾아 선으로 이으세요.

事 ·

物 ·

· 물건

· 일

2 다음 밑줄 친 한자의 음(소리)을 쓰세요.

나는 매일 <u>漢</u>자 공부를 합니다.

→ (   )

3 다음 뜻에 해당하는 한자를 찾아 선으로 이으세요.

한수/한나라 ·

· 漢

· 事

4 '世(세)'의 뜻으로 알맞은 것에 ✔표 하세요.

☐ 씻다

☐ 인간

5 다음 한자어의 음(소리)을 **보기** 에서 찾아 그 번호를 쓰세요.

> **보기**
>
> ① 불편　　　② 불리　　　③ 부족

- 不便 ➔ (　　　　　　)

6 다음 한자의 뜻을 **보기** 에서 찾아 그 번호를 쓰세요.

> **보기**
>
> ① 물건　　　② 인간　　　③ 일

- 事 ➔ (　　　　　　)

7 다음 ☐ 안에 들어갈 한자에 ◯표 하세요.

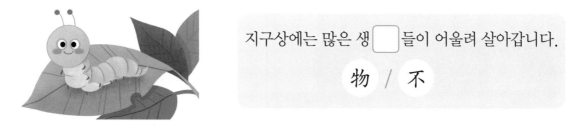

지구상에는 많은 생☐들이 어울려 살아갑니다.

物 / 不

8 다음 밑줄 친 말에 해당하는 한자를 **보기** 에서 찾아 그 번호를 쓰세요.

> **보기**
>
> ① 漢　　　② 世　　　③ 物

(1) 아름다운 세상 ➔ (　　　　　　)

(2) 내가 새로 산 물건 ➔ (　　　　　　)

📖 국어+한문 다음 만화를 읽고, 성어의 뜻을 생각해 보세요.

燈 下 不 明

등잔 **등**　아래 **하**　아닐 **불**　밝을 **명**

어디 갔지? 분명히 서랍 속에 넣어 뒀는데.

아까부터 뭘 그렇게 찾니?

도서관에서 빌린 책 말야. 오늘 반납해야 되는데…….

책가방도 살펴봤어?

응. 없어.

잘 생각해 봐. 등하불명이라고 여기 어디 있을 거야.

등하불명?

그래. 가까이 있는 물건을 잘 찾지 못할 때 쓰는 말이야.

앗, 찾았다! 이게 왜 아까는 안 보였지?

거 봐!

고마워!

뭘 이 정도 가지고.

아니, 너 말고 '등하불명!'

◆ 성어의 뜻을 살펴보며 빈칸에 알맞은 한자를 채우세요.

→ '등잔 밑이 어둡다.'는 뜻으로, 가까이 있는 것이 도리어 알아내기 어려움을 이르는 말

창의·융합·코딩

코딩+한문 3,500원으로 음료수를 사려고 합니다. 다음과 같이 자판기가 작동했을 때, 뽑은 차례대로 음료수 속 한자의 뜻과 음(소리)을 쓰세요.

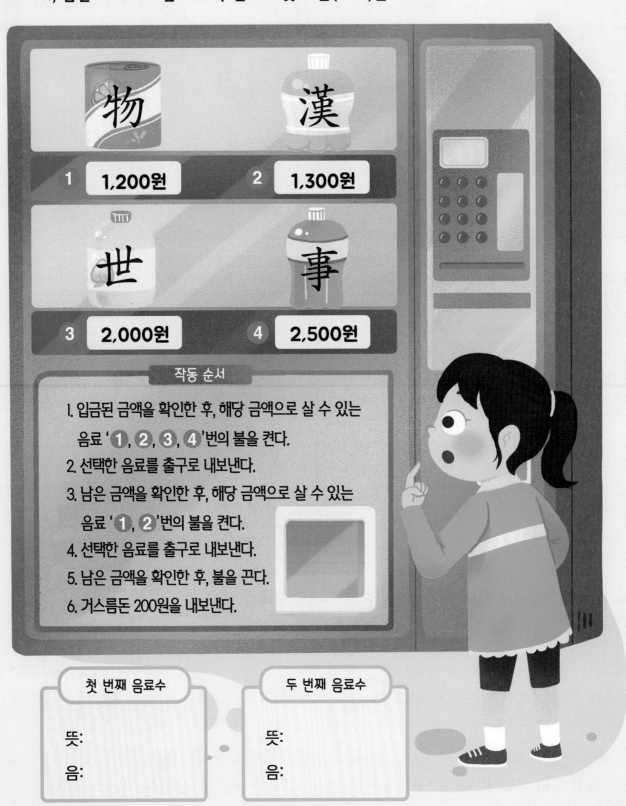

작동 순서

1. 입금된 금액을 확인한 후, 해당 금액으로 살 수 있는 음료 '❶, ❷, ❸, ❹'번의 불을 켠다.
2. 선택한 음료를 출구로 내보낸다.
3. 남은 금액을 확인한 후, 해당 금액으로 살 수 있는 음료 '❶, ❷'번의 불을 켠다.
4. 선택한 음료를 출구로 내보낸다.
5. 남은 금액을 확인한 후, 불을 끈다.
6. 거스름돈 200원을 내보낸다.

첫 번째 음료수

뜻:

음:

두 번째 음료수

뜻:

음:

정답 21쪽

📖 **코딩+한문** 한자어를 분류하는 기계가 있습니다. 제시된 한자어를 조건에 따라 분류할 때, ①~③에 들어갈 알맞은 한자어의 음(소리)을 쓰세요.

不便   不足   不利

시작

'不'의 음(소리)이 '불'입니까?

예 / 아니요

한자어의 뜻이 '이롭지 아니함.'입니까?

①

예 / 아니요

②

③

4주 특강 생각을 키워요 ③

📖 수학+한문 보기 한자의 뜻을 다음과 같이 A, B로 나누었을 때, 다음 물음에 답하세요.

보기

事(사)　物(물)　漢(한)　世(세)　不(불)

A　　　　　　B

일
인간

아니다

물건
한수 / 한나라

1 A에 해당하는 한자를 보기 에서 찾아 쓰세요.

답

2 B에 해당하는 한자를 모두 나열한 것은 무엇인가요? (　　　　　)

① 不

② 物, 漢

③ 物, 漢, 不

④ 物, 漢, 不, 世

⑤ 物, 漢, 不, 世, 事

3 말풍선 속 빈칸에 들어갈 알맞은 한자를 보기 에서 찾아 쓰세요.

A와 B에 공통으로
들어가는 '아니다'라는 뜻을
가진 한자는 　 자야.

답

[문제 1~5] 다음 밑줄 친 漢字語한자어의 音(음: 소리)을 쓰세요.

보기

漢字 → 한자

1 올해는 農事가 풍년입니다.
( )

2 市場에 가서 채소를 샀습니다.
( )

3 間食으로 옥수수를 먹었습니다.
( )

4 언덕을 지나니 平平한 길이 펼쳐졌습니다. ( )

5 기억에 남는 일을 떠올리며 日記를 씁니다. ( )

[문제 6~9] 다음 漢字한자의 訓(훈: 뜻)과 音(음: 소리)을 쓰세요.

보기

字 → 글자 자

6 立 ( )

7 答 ( )

8 直 ( )

9 物 ( )

[문제 10~11] 다음 밑줄 친 漢字語한자어를 보기 에서 골라 그 번호를 쓰세요.

보기

① 直立   ② 世上
③ 不足   ④ 安全

10 수영장에서는 안전 수칙을 잘 지켜야 합니다. ( )

11 흰 눈이 온 세상을 뒤덮었습니다.
( )

[문제 12~14] 다음 訓(훈: 뜻)과 音(음: 소리)에 맞는 漢字한자를 보기 에서 골라 그 번호를 쓰세요.

보기
① 話　② 正　③ 不　④ 事

12 바를 정　(　　　　)

13 말씀 화　(　　　　)

14 아닐 불　(　　　　)

[문제 15~16] 다음 漢字한자의 상대 또는 반대되는 漢字한자를 보기 에서 골라 그 번호를 쓰세요.

보기
① 水　② 手　③ 左　④ 前

15 (　　　　) ↔ 足

16 (　　　　) ↔ 後

[문제 17~18] 다음 뜻에 맞는 漢字語한자어를 보기 에서 찾아 그 번호를 쓰세요.

보기
① 人道　　② 正直
③ 全力　　④ 下車

17 타고 있던 차에서 내림.

(　　　　)

18 사람이 다니는 길　(　　　　)

[문제 19~20] 다음 漢字한자의 진하게 표시된 획은 몇 번째 쓰는지 보기 에서 찾아 그 번호를 쓰세요.

보기
① 첫 번째　　② 세 번째
③ 다섯 번째　④ 일곱 번째

19  漢 (　　　　)

20 安 (　　　　)

[문제 1~5] 다음 밑줄 친 漢字語한자어의 音(음: 소리)을 쓰세요.

> **보기**
>
> 一日 → 일일

1 <u>漢江</u>에 유람선이 둥둥 떠 있습니다.

( )

2 천둥소리에 마음이 <u>不安</u>하였습니다.

( )

3 할아버지께 안부 <u>電話</u>를 드렸습니다.

( )

4 버스를 타고 <u>市內</u>에 다녀왔습니다.

( )

5 <u>工場</u> 굴뚝에서 연기가 뿜어져 나왔습니다.

( )

[문제 6~9] 다음 漢字한자의 訓(훈: 뜻)과 音(음: 소리)을 쓰세요.

> **보기**
>
> 一 → 한 일

6 全 ( )

7 農 ( )

8 記 ( )

9 世 ( )

[문제 10~11] 다음 밑줄 친 漢字語한자어를 **보기**에서 골라 그 번호를 쓰세요.

> **보기**
>
> ① 正直 ② 日記
> ③ 事物 ④ 國立

10 안개가 잔뜩 끼어 <u>사물</u>을 구분하기 어렵습니다. ( )

11 사람은 <u>정직</u>해야 합니다.

( )

[문제 12~14] 다음 訓(훈: 뜻)과 音(음: 소리)에 맞는 漢字한자를 보기 에서 골라 그 번호를 쓰세요.

보기
① 平 ② 答 ③ 市 ④ 車

12 대답 답 (   )

13 평평할 평 (   )

14 수레 거/차 (   )

[문제 15~16] 다음 漢字한자의 상대 또는 반대되는 漢字한자를 보기 에서 골라 그 번호를 쓰세요.

보기
① 足 ② 男 ③ 父 ④ 下

15 (   ) ↔ 上

16 (   ) ↔ 女

[문제 17~18] 다음 뜻에 맞는 漢字語한자어를 보기 에서 찾아 그 번호를 쓰세요.

보기
① 食事   ② 平生
③ 直立   ④ 後世

17 꼿꼿하게 바로 섬. (   )

18 끼니로 음식을 먹음. (   )

[문제 19~20] 다음 漢字한자의 진하게 표시된 획은 몇 번째 쓰는지 보기 에서 찾아 그 번호를 쓰세요.

보기
① 두 번째   ② 네 번째
③ 여덟 번째   ④ 열 번째

19 道 (   )

20 不 (   )

학습 내용 찾아보기

memo

memo

행동 한자

밥/먹을 식

행동 한자

설 립

행동 한자

대답 답

행동 한자

기록할 기

한자와 뜻·음(소리)을 쓰세요.

立

뜻 _____

음 _____

한자와 뜻·음(소리)을 쓰세요.

食

뜻 _____

음 _____

한자와 뜻·음(소리)을 쓰세요.

記

뜻 _____

음 _____

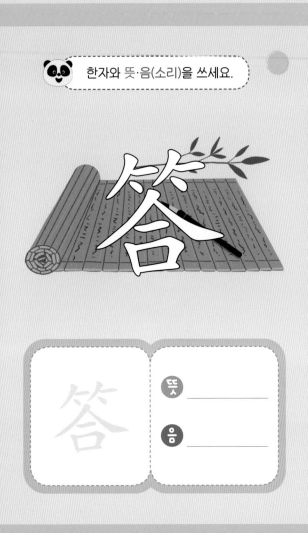

한자와 뜻·음(소리)을 쓰세요.

答

뜻 _____

음 _____

행동 한자

말씀 화

상태 한자

편안 안

상태 한자

온전 전

행동 한자

상태 한자

바를 정

상태 한자

🐼 한자와 뜻·음(소리)을 쓰세요.

安	뜻 _____
	음 _____

🐼 한자와 뜻·음(소리)을 쓰세요.

話	뜻 _____
	음 _____

🐼 한자와 뜻·음(소리)을 쓰세요.

正	뜻 _____
	음 _____

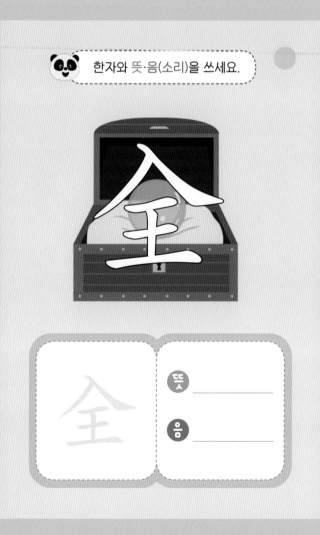

🐼 한자와 뜻·음(소리)을 쓰세요.

全	뜻 _____
	음 _____

상태 한자

곧을 직

상태 한자

평평할 평

생활 한자

저자 시

생활 한자

마당 장

상태 한자

한자와 뜻·음(소리)을 쓰세요.

平	뜻 _____
	음 _____

한자와 뜻·음(소리)을 쓰세요.

直	뜻 _____
	음 _____

한자와 뜻·음(소리)을 쓰세요.

場	뜻 _____
	음 _____

한자와 뜻·음(소리)을 쓰세요.

市	뜻 _____
	음 _____

생활 한자

農

농사 농

생활 한자

車

수레 거/차

생활 한자

道

길 도

생활 한자

事

일 사

🐼 한자와 뜻·음(소리)을 쓰세요.

| 車 | 뜻 _____ |
| | 음 _____ |

🐼 한자와 뜻·음(소리)을 쓰세요.

| 農 | 뜻 _____ |
| | 음 _____ |

🐼 한자와 뜻·음(소리)을 쓰세요.

| 事 | 뜻 _____ |
| | 음 _____ |

🐼 한자와 뜻·음(소리)을 쓰세요.

| 道 | 뜻 _____ |
| | 음 _____ |

생활 한자

物

물건 물

기타 한자

漢

한수/한나라 한

기타 한자

世

인간 세

생활 한자

기타 한자

不

아닐 불

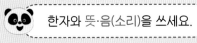

한자와 뜻·음(소리)을 쓰세요.

漢

뜻 _____

음 _____

한자와 뜻·음(소리)을 쓰세요.

物

뜻 _____

음 _____

한자와 뜻·음(소리)을 쓰세요.

不

뜻 _____

음 _____

한자와 뜻·음(소리)을 쓰세요.

世

뜻 _____

음 _____

水 漁 之 交
물 물고기 갈 사귈
수 어 지 교

물고기에게 물은 정말 소중한 존재이지요.
수어지교란 물고기와 물의 관계처럼,
아주 친밀하여 떨어질 수 없는 사이
또는 깊은 우정을 일컫는 말이랍니다.

똑똑한 하루
시/리/즈

✂ 쉽다!

10분이면 하루치 공부를 마칠 수 있는 커리큘럼으로, 아이들이 초등 학습에 쉽고 재미있게 접근할 수 있도록 구성하였습니다.

🧩 재미있다!

교과서는 물론 생활 속에서 쉽게 접할 수 있는 다양한 소재와 재미있는 게임 형식의 문제로 흥미로운 학습이 가능합니다.

📖 똑똑하다!

초등학생에게 꼭 필요한 학습 지식 습득은 물론 창의력 확장까지 가능한 교재로 올바른 공부습관을 가지는 데 도움을 줍니다.

과목	교재 구성	과목	교재 구성
하루 독해	예비초~6학년 각 A·B 14권	하루 VOCA	3~6학년 각 A·B 8권
하루 어휘	예비초~6학년 각 A·B 14권	하루 영문법	3~6학년 각 A·B 8권
하루 글쓰기	예비초~6학년 각 A·B 14권	하루 리딩	3~6학년 각 A·B 8권
하루 한자	예비초: 예비초 A·B 2권 1~6학년: 1A~4C 12권	하루 파닉스	예비초~3학년 Starter A·B 8권 / 1A~3B 8권
하루 수학	1~6학년 1·2학기 12권	하루 봄·여름·가을·겨울	예비초~2학년 8권
하루 계산	예비초~6학년 각 A·B 14권	하루 사회	3~6학년 1·2학기 8권
하루 도형	예비초~6학년 각 A·B 14권	하루 과학	3~6학년 1·2학기 8권
하루 사고력	1~6학년 각 A·B 12권		

※ 각 교재별 출간 시기는 조금씩 다르며, 일부 교재는 순차적으로 출시될 예정입니다.

똑똑한

하루
한자

정답

2^{단계}C

7급Ⅱ 기초3

천재교육

배운 내용은
꼭꼭 복습하기!

똑 똑 한

하루
한자

정답

2 단계 C
7급 II 기초3

010~011쪽

1주 도입

1주 1주에는 무엇을 공부할까? ❷

✪ 이번 주에 배울 한자들이 그림 속에 숨어 있어요. 보기를 참고해서 한자를 찾아보세요.

보기
食 밥/먹을 식   立 설 립   答 대답 답   記 기록할 기   話 말씀 화

10 • 똑똑한 하루 한자

2단계-C 1주 • 11

016~017쪽

1주 1일

1일 행동 한자 食 밥/먹을 식   기초 실력을 키워요   기초 집중 연습

1 다음 한자의 뜻과 음(소리)으로 알맞은 것을 찾아 ○표 하세요.

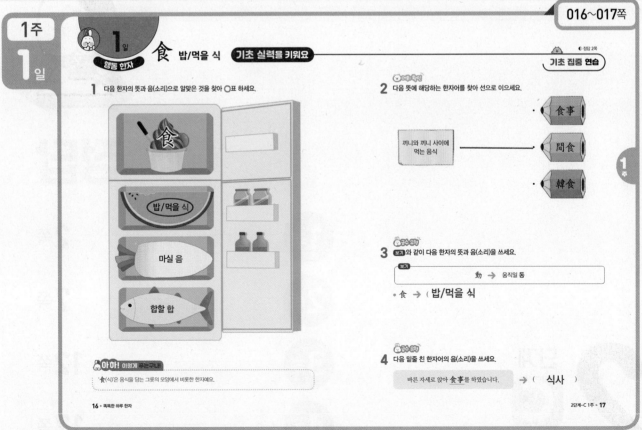

아하! 이렇게 부르는구나!
'食(식)'은 음식을 담는 그릇의 모양에서 비롯한 한자예요.

2 다음 뜻에 해당하는 한자어를 찾아 선으로 이으세요.

끼니와 끼니 사이에 먹는 음식 ——— 間食

• 食事
• 間食
• 韓食

3 보기와 같이 다음 한자의 뜻과 음(소리)을 쓰세요.

보기
動 → 움직일 동

• 食 → (밥/먹을 식)

4 다음 밑줄 친 한자어의 음(소리)을 쓰세요.

바른 자세로 앉아 食事를 하였습니다. → (식사)

16 • 똑똑한 하루 한자

2단계-C 1주 • 17

2 • 똑똑한 하루 한자

1주 2일

2일 立 설 립 · 행동 한자

기초 실력을 키워요

기초 집중 연습

정답 3쪽

1 다음 한자의 뜻에 해당하는 동작을 하고 있는 사람을 찾아 ○표 하세요.

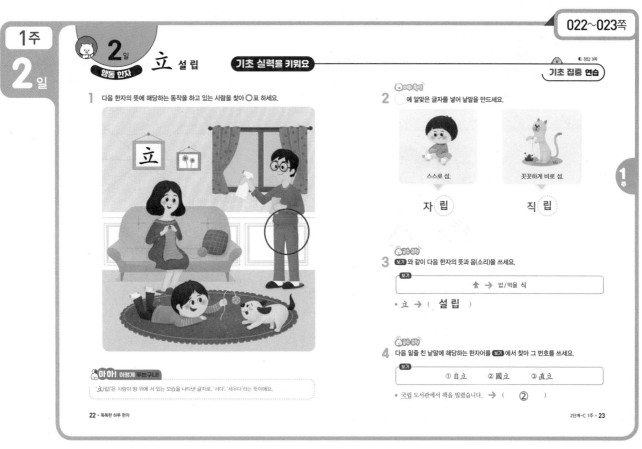

아하! 이렇게 쓰는구나

'立(립)'은 사람이 땅 위에 서 있는 모습을 나타낸 글자로, '서다', '세우다'라는 뜻이에요.

2 ○에 알맞은 글자를 넣어 낱말을 만드세요.

스스로 섬. → 자 립

꼿꼿하게 바로 섬. → 직 립

3 보기 와 같이 다음 한자의 뜻과 음(소리)을 쓰세요.

보기
食 → 밥/먹을 식

· 立 → (설 립)

4 다음 밑줄 친 낱말에 해당하는 한자어를 보기 에서 찾아 그 번호를 쓰세요.

보기
① 自立   ② 國立   ③ 直立

· 국립 도서관에서 책을 빌렸습니다. → (②)

22 · 똑똑한 하루 한자

2단계-C 1주 · 23

1주 3일

3일 答 대답 답 · 행동 한자

기초 실력을 키워요

기초 집중 연습

정답 3쪽

1 다음 한자의 뜻과 음(소리)으로 알맞은 것을 찾아 선으로 이으세요.

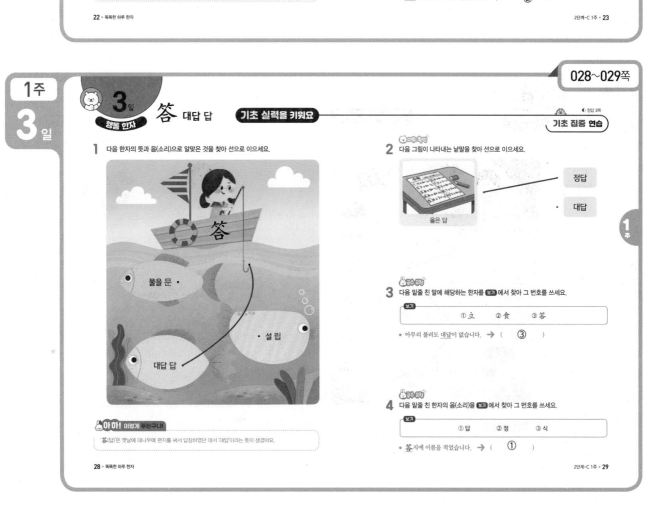

아하! 이렇게 쓰는구나

'答(답)'은 옛날에 대나무에 편지를 써서 답장하였던 데서 '대답'이라는 뜻이 생겼어요.

2 다음 그림이 나타내는 낱말을 찾아 선으로 이으세요.

옳은 답 · 정답
· 대답

3 다음 밑줄 친 말에 해당하는 한자를 보기 에서 찾아 그 번호를 쓰세요.

보기
①立   ②食   ③答

· 아무리 불러도 대답이 없습니다. → (③)

4 다음 밑줄 친 한자의 음(소리)을 보기 에서 찾아 그 번호를 쓰세요.

보기
① 답   ② 정   ③ 식

· 答지에 이름을 적었습니다. → (①)

28 · 똑똑한 하루 한자

2단계-C 1주 · 29

1주
4일

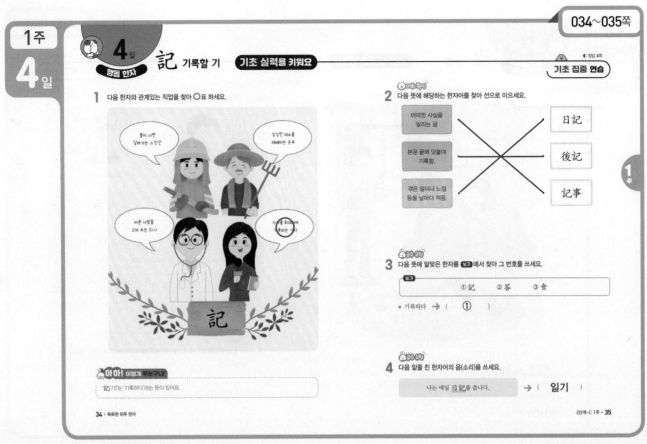

1주
5일

1주 누구나 100점 TEST

정답 5쪽

맞은 개수 / 8개

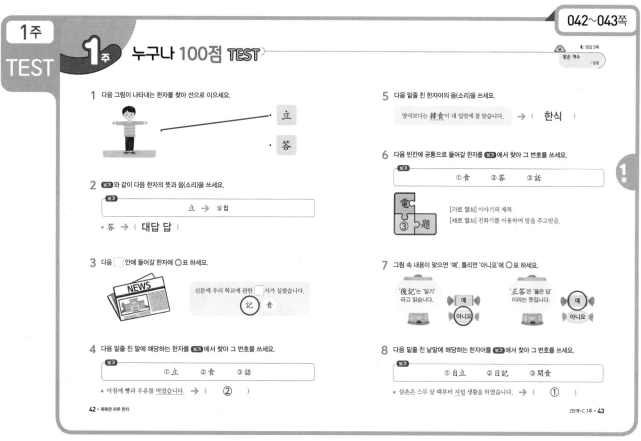

1 다음 그림이 나타내는 한자를 찾아 선으로 이으세요.

立
答

2 보기 와 같이 다음 한자의 뜻과 음(소리)을 쓰세요.

보기
立 → 설 립

• 答 → (대답 답)

3 다음 ☐ 안에 들어갈 한자에 ○표 하세요.

NEWS

신문에 우리 학교에 관한 ☐사가 실렸습니다.
記 食

4 다음 밑줄 친 말에 해당하는 한자를 보기 에서 찾아 그 번호를 쓰세요.

보기
① 立 ② 食 ③ 話

• 아침에 빵과 우유를 먹었습니다. → (②)

5 다음 밑줄 친 한자어의 음(소리)을 쓰세요.

양식보다는 韓食이 내 입맛에 잘 맞습니다. → (한식)

6 다음 빈칸에 공통으로 들어갈 한자를 보기 에서 찾아 그 번호를 쓰세요.

보기
① 食 ② 答 ③ 話

電
③ 題

[가로 열쇠] 이야기의 제목
[세로 열쇠] 전화기를 이용하여 말을 주고받음.

7 그림 속 내용이 맞으면 '예', 틀리면 '아니요'에 ○표 하세요.

'後記'는 '일기'
라고 읽습니다.

예
아니요

'正答'은 '옳은 답'
이라는 뜻입니다.

예
아니요

8 다음 밑줄 친 낱말에 해당하는 한자어를 보기 에서 찾아 그 번호를 쓰세요.

보기
① 自立 ② 日記 ③ 間食

• 삼촌은 스무 살 때부터 자립 생활을 하였습니다. → (①)

1주 특강 창의·융합·코딩 생각을 키워요 ①

정답 5쪽

국어+한문 다음 만화를 읽고, 성어의 뜻을 생각해 보세요.

自 問 自 答
스스로 자 물을 문 스스로 자 대답 답

◆ 성어의 뜻을 살펴보며 빈칸에 알맞은 한자를 채우세요.

자 | 문 | 자 | 답
自 | 問 | 自 | 答

→ '스스로 묻고 스스로 대답한다.'는 뜻으로, 자기 자신과 대화함을 이르는 말

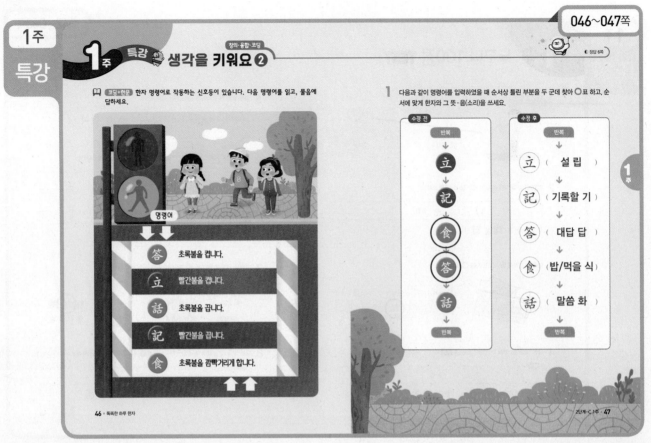

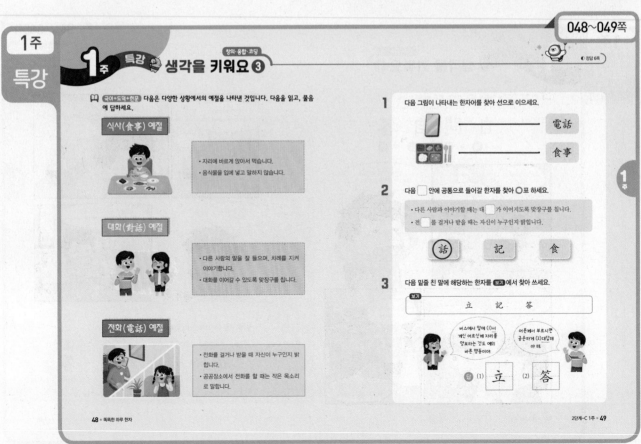

2주
도입

2주

2주에는 무엇을 공부할까? ②

◀ 정답 7쪽

✪ 이번 주에 배울 한자들이 그림 속에 숨어 있어요. 보기 를 참고해서 한자를 찾아보세요.

보기 安 편안 안 全 온전 전 正 바를 정 直 곧을 직 平 평평할 평

52 · 똑똑한 하루 한자

2단계-C 2주 · 53

2주
1일

1일

상태 한자 安 편안 안

기초 실력을 키워요

◀ 정답 7쪽

기초 집중 연습

1 다음에서 '安'의 뜻과 어울리는 상황을 찾아 ✔표 하세요.

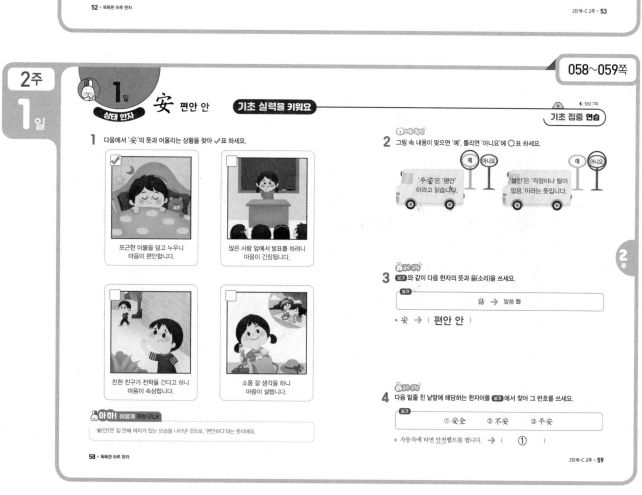

포근한 이불을 덮고 누우니 마음이 편안합니다.

많은 사람 앞에서 발표를 하려니 마음이 긴장됩니다.

친한 친구가 전학을 간다고 하니 마음이 속상합니다.

소풍 갈 생각을 하니 마음이 설렙니다.

아하! 이렇게 쓰는구나!

'安(안)'은 집 안에 여자가 있는 모습을 나타낸 것으로, '편안하다'라는 뜻이에요.

2 그림 속 내용이 맞으면 '예', 틀리면 '아니요'에 ○표 하세요.

예 아니요

'平安'은 '평안 이라고 읽습니다.

예 아니요

'불안'은 '걱정이나 탈이 없음.'이라는 뜻입니다.

3 보기 와 같이 다음 한자의 뜻과 음(소리)을 쓰세요.

보기 話 → 말씀 화

· 安 → (편안 안)

4 다음 밑줄 친 낱말에 해당하는 한자어를 보기 에서 찾아 그 번호를 쓰세요.

보기 ① 安全 ② 不安 ③ 平安

· 자동차에 타면 안전벨트를 맵니다. → (①)

58 · 똑똑한 하루 한자

2단계-C 2주 · 59

2단계-C 정답 · **7**

2주 2일

2일 상태 한자 全 온전 전 **기초 실력을 키워요**

정답 8쪽

기초 집중 연습

1 다음 한자의 뜻과 음(소리)으로 알맞은 것을 찾아 ○표 하세요.

全

편안 안   온전 전

아하! 이렇게 푸는구나!

'全(전)'은 흠이 없는 구슬을 온전하게 보관한다는 데서 '온전하다'의 뜻을 가진 한자예요.

64 • 똑똑한 하루 한자

2 다음 그림이 나타내는 낱말을 찾아 선으로 이으세요.

온 힘

전력

만전

3 다음 밑줄 친 한자의 음(소리)을 쓰세요.

오늘은 全국 곳곳에 비가 내리겠습니다. → (　전　)

4 다음 밑줄 친 말에 해당하는 한자를 보기에서 찾아 그 번호를 쓰세요.

보기　　①全　②立　③安

• 국토를 온전하게 보호해야 합니다. → (　①　)

2단계-C 2주 • 65

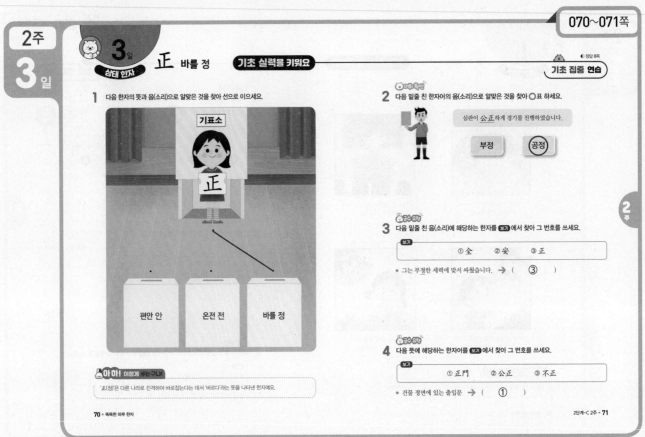

2주 3일

3일 상태 한자 正 바를 정 **기초 실력을 키워요**

정답 8쪽

기초 집중 연습

1 다음 한자의 뜻과 음(소리)으로 알맞은 것을 찾아 선으로 이으세요.

기표소

正

편안 안   온전 전   바를 정

아하! 이렇게 푸는구나!

'正(정)'은 다른 나라로 진격하여 바로잡는다는 데서 '바르다'라는 뜻을 나타낸 한자예요.

70 • 똑똑한 하루 한자

2 다음 밑줄 친 한자어의 음(소리)으로 알맞은 것을 찾아 ○표 하세요.

심판이 公正하게 경기를 진행하였습니다.

부정   공정

3 다음 밑줄 친 음(소리)에 해당하는 한자를 보기에서 찾아 그 번호를 쓰세요.

보기　　①全　②安　③正

• 그는 부정한 세력에 맞서 싸웠습니다. → (　③　)

4 다음 뜻에 해당하는 한자어를 보기에서 찾아 그 번호를 쓰세요.

보기　　①正門　②公正　③不正

• 건물 정면에 있는 출입문 → (　①　)

2단계-C 2주 • 71

2주 4일

4일 상태 한자 直 곧을 직 **기초 실력을 키워요** **기초 집중 연습**

정답 9쪽

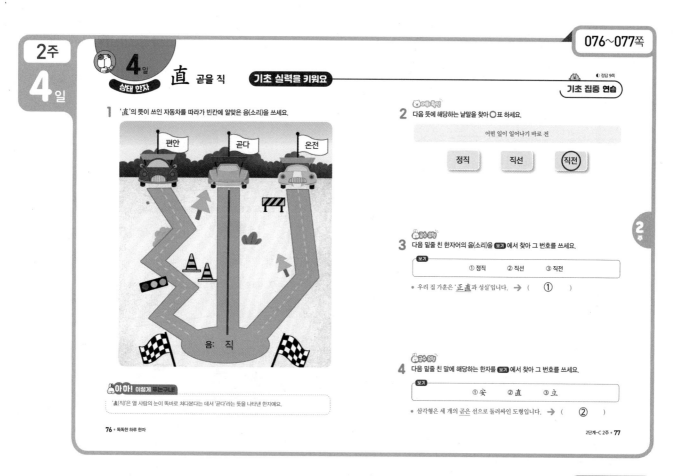

1 '直'의 뜻이 쓰인 자동차를 따라가 빈칸에 알맞은 음(소리)을 쓰세요.

편안 / 곧다 / 온전

음: **직**

아하! 이렇게 푸는구나!
'直(직)'은 열 사람의 눈이 똑바로 쳐다본다는 데서 '곧다'라는 뜻을 나타낸 한자예요.

76 • 똑똑한 하루 한자

2 다음 뜻에 해당하는 낱말을 찾아 ○표 하세요.

어떤 일이 일어나기 바로 전

정직 / 직선 / (직전)

3 다음 밑줄 친 한자어의 음(소리)을 보기에서 찾아 그 번호를 쓰세요.

보기
① 정직 ② 직선 ③ 직전

• 우리 집 가훈은 '正直과 성실'입니다. → (①)

4 다음 밑줄 친 말에 해당하는 한자를 보기에서 찾아 그 번호를 쓰세요.

보기
① 安 ② 直 ③ 立

• 삼각형은 세 개의 곧은 선으로 둘러싸인 도형입니다. → (②)

2단계-C 2주 • 77

2주 5일

5일 상태 한자 平 평평할 평 **기초 실력을 키워요** **기초 집중 연습**

정답 9쪽

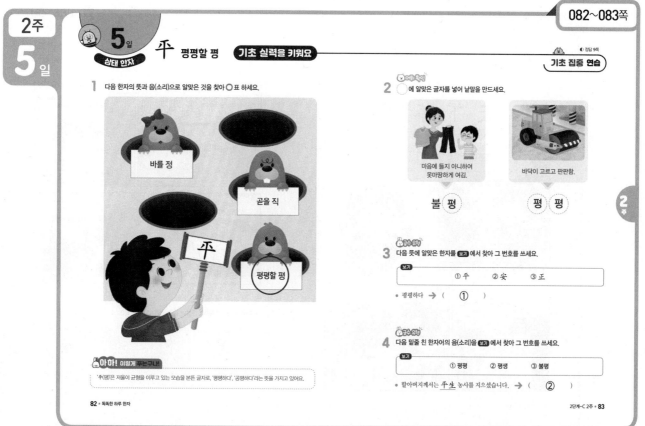

1 다음 한자의 뜻과 음(소리)으로 알맞은 것을 찾아 ○표 하세요.

바를 정 / 곧을 직 / 平 / 평평할 평

아하! 이렇게 푸는구나!
'平(평)'은 저울이 균형을 이루고 있는 모습을 본뜬 글자로, '평평하다', '공평하다'라는 뜻을 가지고 있어요.

82 • 똑똑한 하루 한자

2 ◯에 알맞은 글자를 넣어 낱말을 만드세요.

마음에 들지 아니하여 못마땅하게 여김.

불 평

바닥이 고르고 판판함.

평 평

3 다음 뜻에 알맞은 한자를 보기에서 찾아 그 번호를 쓰세요.

보기
① 平 ② 安 ③ 正

• 평평하다 → (①)

4 다음 밑줄 친 한자어의 음(소리)을 보기에서 찾아 그 번호를 쓰세요.

보기
① 평평 ② 평생 ③ 불평

• 할아버지께서는 平生 농사를 지으셨습니다. → (②)

2단계-C 2주 • 83

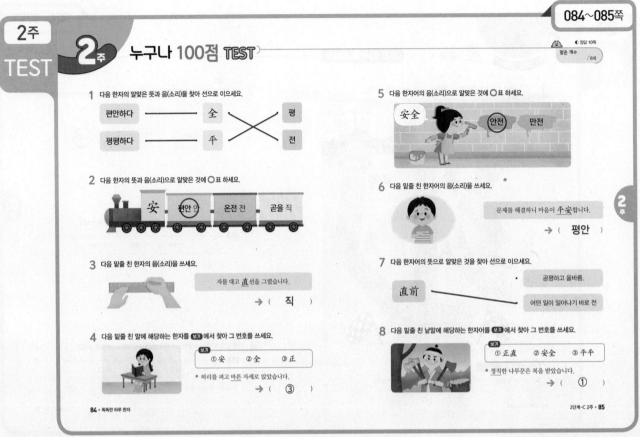

2주 특강

088~089쪽

2주 특강 생각을 키워요 ❷

창의·융합·코딩

◑ 정답 11쪽

📖 **코딩+한문** 한자가 쓰인 재료를 이용해 햄버거를 만들려고 합니다. 예시 와 같이 완성된 햄버거의 순서에 맞게 한자의 뜻과 음(소리)을 쓰세요.

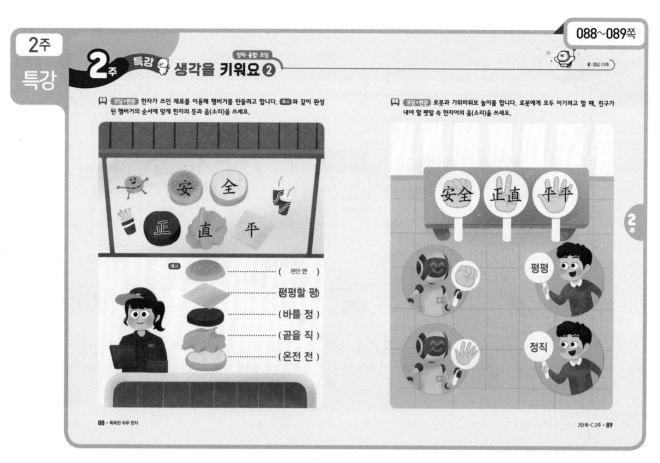

예시 ·········· (편안 안)
·········· 평평할 평)
·········· (바를 정)
·········· (곧을 직)
·········· (온전 전)

📖 **코딩+한문** 로봇과 가위바위보 놀이를 합니다. 로봇에게 모두 이기려고 할 때, 친구가 내야 할 팻말 속 한자어의 음(소리)을 쓰세요.

安全 正直 平平

평평

정직

88 • 똑똑한 하루 한자

2단계-C 2주 • 89

2주 특강

090~091쪽

2주 특강 생각을 키워요 ❸

창의·융합·코딩

◑ 정답 11쪽

📖 **체육+한문** 다음 그림을 보고, 물음에 답하세요.

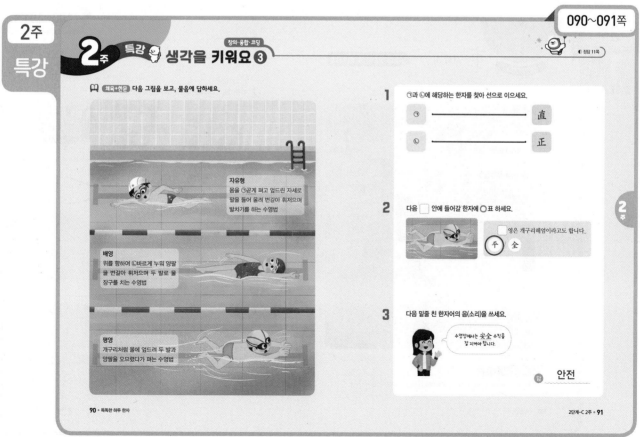

자유형
몸을 ⊙곧게 펴고 엎드린 자세로 팔을 들어 올려 번갈아 휘저으며 발차기를 하는 수영법

배영
위를 향하여 ⓒ바르게 누워 양팔을 번갈아 휘저으며 두 발로 물장구를 치는 수영법

평영
개구리처럼 물에 엎드려 두 발과 양팔을 오므렸다가 펴는 수영법

1 ⊙과 ⓒ에 해당하는 한자를 찾아 선으로 이으세요.

⊙ ————— 直

ⓒ ————— 正

2 다음 ☐ 안에 들어갈 한자에 ○표 하세요.

☐영은 개구리헤엄이라고도 합니다.

㊀ 全

3 다음 밑줄 친 한자어의 음(소리)을 쓰세요.

수영장에서는 安全 수칙을 잘 지켜야 합니다.

답 안전

90 • 똑똑한 하루 한자

2단계-C 2주 • 91

094~095쪽

3주
도입

3주 3주에는
무엇을 공부할까? ❷

© 정답 12쪽

✿ 이번 주에 배울 한자들이 그림 속에 숨어 있어요. 보기 를 참고해서 한자를 찾아보세요.

보기
市 저자 시   場 마당 장   農 농사 농   車 수레 거/차   道 길 도

94 • 똑똑한 하루 한자

2단계-C 3주 • 95

100~101쪽

3주
1일

1일
생활 한자

市 저자 시

기초 실력을 키워요

기초 집중 연습

© 정답 12쪽

1 마을 지도에서 '市'의 뜻과 가장 어울리는 장소를 찾아 ✓표 하세요.

☐ 보건소
✓ 시장
☐ 학교

아하! 이렇게 푸는구나

'市(시)'는 많은 사람들이 모여 물건을 사고파는 장소(시장)를 나타낸 글자예요.

2 다음 그림이 나타내는 낱말을 찾아 선으로 이으세요.

도시에 사는 사람
여러 가지 상품을 사고파는 일정한 장소
도시의 안

시장   시내   시민

3 다음 밑줄 친 한자어의 음(소리)을 보기 에서 찾아 그 번호를 쓰세요.

보기
① 시내   ② 시민   ③ 시장

• 운동장에 모인 市民들이 파도타기 응원을 시작하였습니다. → (②)

4 다음 한자의 뜻을 보기 에서 찾아 그 번호를 쓰세요.

보기
① 저자   ② 농사   ③ 나라

• 市 → (①)

100 • 똑똑한 하루 한자

2단계-C 3주 • 101

3주 2일

2일 생활 한자 場 마당 장

기초 실력을 키워요

기초 집중 연습

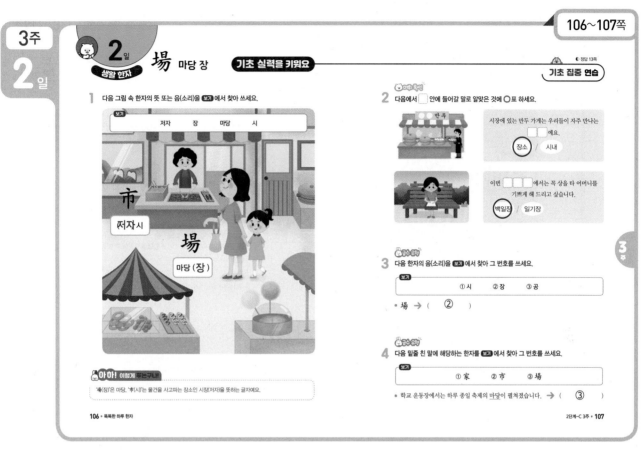

1 다음 그림 속 한자의 뜻 또는 음(소리)을 보기에서 찾아 쓰세요.

보기: 저자 · 장 · 마당 · 시

市 저자 시
場 마당 (장)

아하! 이렇게 찾는구나!
'場(장)'은 마당, '市(시)'는 물건을 사고파는 장소인 시장(저자)을 뜻하는 글자예요.

2 다음에서 □ 안에 들어갈 말로 알맞은 것에 ◯표 하세요.

시장에 있는 만두 가게는 우리들이 자주 만나는 □□예요.
◯장소 / 시내

이번 □□□에서는 꼭 상을 타 어머니를 기쁘게 해 드리고 싶습니다.
백일장 / 일기장

3 다음 한자의 음(소리)을 보기에서 찾아 그 번호를 쓰세요.

보기: ①시 ②장 ③공

• 場 → (②)

4 다음 밑줄 친 말에 해당하는 한자를 보기에서 찾아 그 번호를 쓰세요.

보기: ①家 ②市 ③場

• 학교 운동장에서는 하루 종일 축제의 마당이 펼쳐졌습니다. → (③)

106 • 똑똑한 하루 한자

3주 3일

3일 생활 한자 農 농사 농

기초 실력을 키워요

기초 집중 연습

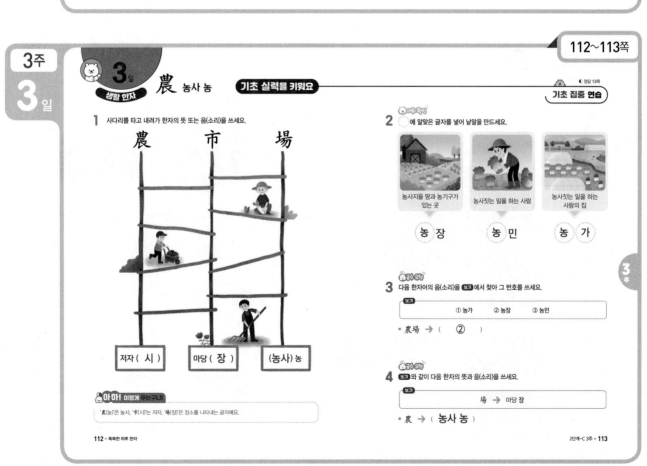

1 사다리를 타고 내려가 한자의 뜻 또는 음(소리)을 쓰세요.

農 市 場

저자 (시) 마당 (장) (농사) 농

아하! 이렇게 푸는구나!
'農(농)'은 농사, '市(시)'는 저자, '場(장)'은 장소를 나타내는 글자예요.

2 ◯에 알맞은 글자를 넣어 낱말을 만드세요.

농사지을 땅과 농기구가 있는 곳
농 장

농사짓는 일을 하는 사람
농 민

농사짓는 일을 하는 사람의 집
농 가

3 다음 한자어의 음(소리)을 보기에서 찾아 그 번호를 쓰세요.

보기: ①농가 ②농장 ③농민

• 農場 → (②)

4 보기와 같이 다음 한자의 뜻과 음(소리)을 쓰세요.

보기: 場 → 마당 장

• 農 → (농사 농)

112 • 똑똑한 하루 한자

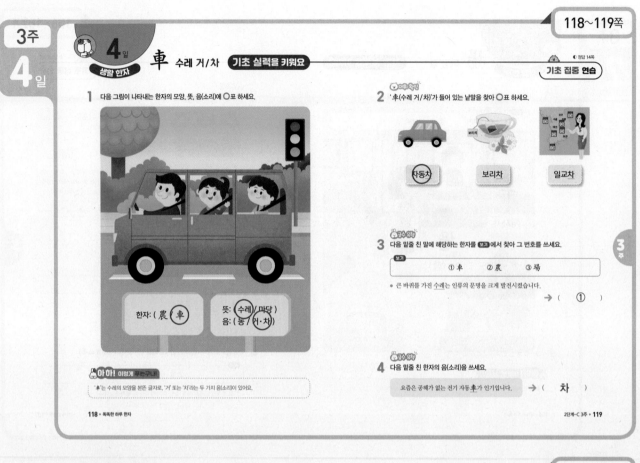

3주 4일

4일 생활 한자

車 수레 거/차 기초 실력을 키워요 정답 14쪽

기초 집중 연습

1 다음 그림이 나타내는 한자의 모양, 뜻, 음(소리)에 ○표 하세요.

한자: (農 ·⟪車⟫)
뜻: (⟪수레⟫/ 마당)
음: (농 / 거·차)

아하! 이렇게 푸는구나!
'車'는 수레의 모양을 본뜬 글자로, '거' 또는 '차'라는 두 가지 음(소리)이 있어요.

118 · 똑똑한 하루 한자

2 '車(수레 거/차)'가 들어 있는 낱말을 찾아 ○표 하세요.

자동차   보리차   일교차

3 다음 밑줄 친 말에 해당하는 한자를 보기에서 찾아 그 번호를 쓰세요.

보기
①車 ②農 ③場

● 큰 바퀴를 가진 수레는 인류의 문명을 크게 발전시켰습니다.
→ (①)

4 다음 밑줄 친 한자의 음(소리)을 쓰세요.

요즘은 공해가 없는 전기 자동車가 인기입니다. → (차)

2단계-C 3주 · 119

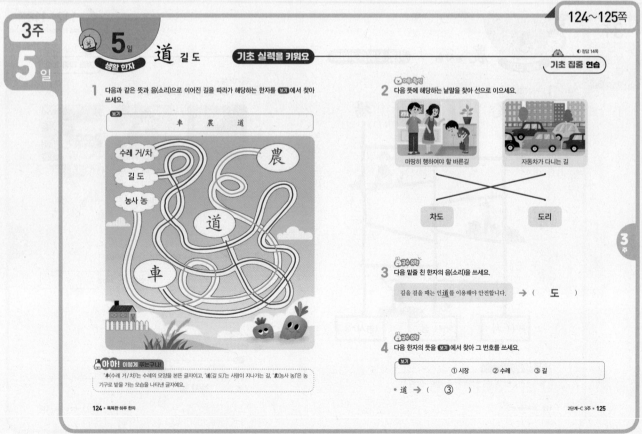

3주 5일

5일 생활 한자

道 길 도 기초 실력을 키워요 정답 14쪽

기초 집중 연습

1 다음과 같은 뜻과 음(소리)으로 이어진 길을 따라가 해당하는 한자를 보기에서 찾아 쓰세요.

보기
車 農 道

수레 거/차
길 도
농사 농

農
道
車

아하! 이렇게 푸는구나!
'車(수레 거/차)'는 수레의 모양을 본뜬 글자이고, '道(길 도)'는 사람이 지나가는 길, '農(농사 농)'은 농기구로 밭을 가는 모습을 나타낸 글자예요.

124 · 똑똑한 하루 한자

2 다음 뜻에 해당하는 낱말을 찾아 선으로 이으세요.

마땅히 행하여야 할 바른길   자동차가 다니는 길

차도   도리

3 다음 밑줄 친 한자의 음(소리)을 쓰세요.

길을 걸을 때는 인道를 이용해야 안전합니다. → (도)

4 다음 한자의 뜻을 보기에서 찾아 그 번호를 쓰세요.

보기
① 시장 ② 수레 ③ 길

● 道 → (③)

2단계-C 3주 · 125

3주 TEST

정답 15쪽
맞은 개수 /8개

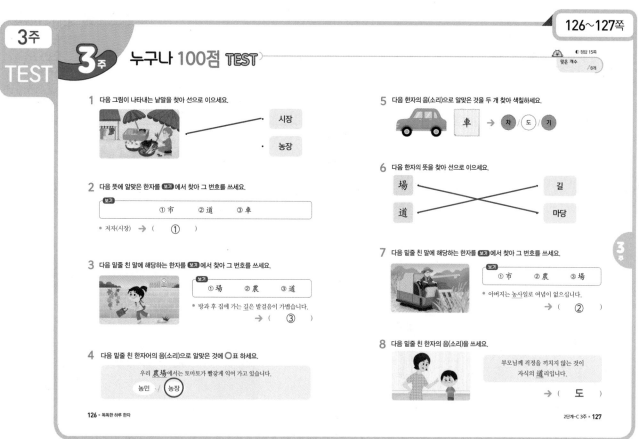

1 다음 그림이 나타내는 낱말을 찾아 선으로 이으세요.

• 시장
• 농장

2 다음 뜻에 알맞은 한자를 보기에서 찾아 그 번호를 쓰세요.

보기
① 市   ② 道   ③ 車

• 저자(시장) → (①)

3 다음 밑줄 친 말에 해당하는 한자를 보기에서 찾아 그 번호를 쓰세요.

보기
① 場   ② 農   ③ 道

• 방과 후 집에 가는 길은 발걸음이 가볍습니다.
→ (③)

4 다음 밑줄 친 한자어의 음(소리)으로 알맞은 것에 ○표 하세요.

우리 農場에서는 토마토가 빨갛게 익어 가고 있습니다.

농민 / 농장

5 다음 한자의 음(소리)으로 알맞은 것을 두 개 찾아 색칠하세요.

車 → 차 / 도 / 기

6 다음 한자의 뜻을 찾아 선으로 이으세요.

場   길
道   마당

7 다음 밑줄 친 말에 해당하는 한자를 보기에서 찾아 그 번호를 쓰세요.

보기
① 市   ② 農   ③ 場

• 아버지는 농사일로 여념이 없으십니다.
→ (②)

8 다음 밑줄 친 한자의 음(소리)을 쓰세요.

부모님께 걱정을 끼치지 않는 것이
자식의 道리입니다.

→ (도)

126 • 똑똑한 하루 한자   2단계-C 3주 • 127

3주 특강

정답 15쪽

국어+한문 다음 만화를 읽고, 성어의 뜻을 생각해 보세요.

門 前 成 市
문 문 앞 전 이룰 성 저자 시

◆ 성어의 뜻을 살펴보며 빈칸에 알맞은 한자를 채우세요.

문   전   성   시
門   前   成   市

→ '대문 앞이 저자(시장)를 이룬다.'는 뜻으로, 찾아오는 사람이 많아 집 문 앞이 북적이는 모습을 이르는 말

128 • 똑똑한 하루 한자   2단계-C 3주 • 129

130~131쪽

3주 특강

3주 특강 🐰 생각을 키워요 ❷
창의·융합·코딩

🔖 코딩+한문 다음 순서도의 조건에 맞게 움직였을 때, 해당하는 위치를 차지하고 있는 한자에 색칠해 보세요.

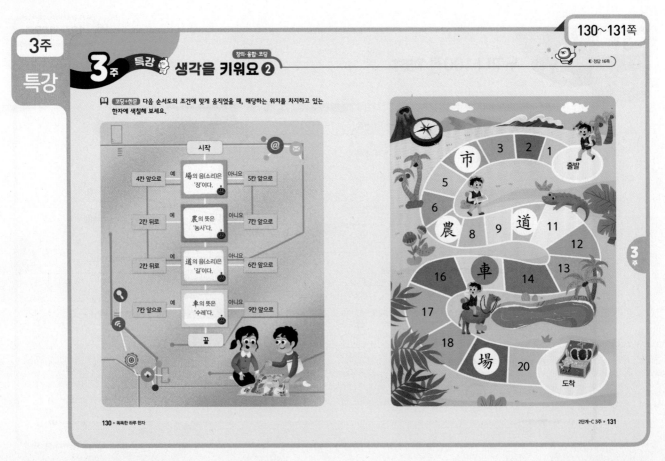

132~133쪽

3주 특강

3주 특강 🐰 생각을 키워요 ❸
창의·융합·코딩

🔖 체육+인문 한자 시계를 보며 눈 체조를 해 보고, 물음에 답하세요.

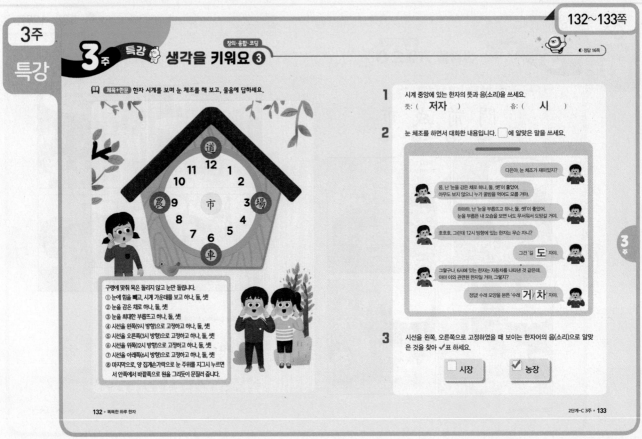

1 시계 중앙에 있는 한자의 뜻과 음(소리)을 쓰세요.
뜻: (저자)   음: (시)

2 눈 체조를 하면서 대화한 내용입니다. ☐에 알맞은 말을 쓰세요.

그건 길 **도** 자야.

정답 수레 모양을 본뜬 '수레 **거 / 차** 자야.

3 시선을 왼쪽, 오른쪽으로 고정하였을 때 보이는 한자어의 음(소리)으로 알맞은 것을 찾아 ✔표 하세요.

☐ 시장   ✔ 농장

4주

도입

136~137쪽

4주
4주에는 무엇을 공부할까? ❷

◉ 정답 17쪽

☆ 이번 주에 배울 한자들이 그림 속에 숨어 있어요. 보기를 참고해서 한자를 찾아보세요.

보기
事 일 사　物 물건 물　漢 한수/한나라 한　世 인간 세　不 아닐 불

142~143쪽

4주
1일

1일 생활 한자
事 일 사

기초 실력을 키워요

◉ 정답 17쪽

기초 집중 연습

1 그림 속에 있는 '事' 자의 뜻을 찾아 ✔표 하세요.

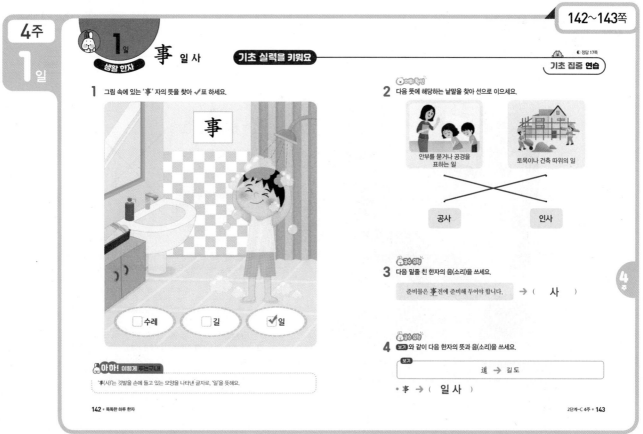

□ 수레　□ 길　✔ 일

아하! 이렇게 두는구나

'事(사)'는 깃발을 손에 들고 있는 모양을 나타낸 글자로, '일'을 뜻해요.

어휘 확인
2 다음 뜻에 해당하는 낱말을 찾아 선으로 이으세요.

안부를 묻거나 공경을 표하는 일

토목이나 건축 따위의 일

공사　　인사

급수 연장
3 다음 밑줄 친 한자의 음(소리)을 쓰세요.

준비물은 事전에 준비해 두어야 합니다. → (사)

급수 연장
4 보기와 같이 다음 한자의 뜻과 음(소리)을 쓰세요.

보기
道 → 길 도

• 事 → (일 사)

4주 2일

2일 生활 한자 物 물건 물 기초 실력을 키워요 기초 집중 연습

1 다음 한자의 뜻과 음(소리)으로 알맞은 것을 찾아 선으로 이으세요.

物 ╳ 事
일 사
물건 물

아하! 이렇게 하는구나
'物(물)'은 제사 지낼 때 제물을 바치던 소를 나타낸 글자로, 소가 제물을 나타낸 데서 '물건'을 뜻하고, '事(사)'는 깃발을 단 깃대를 손에 든 모양을 나타낸 데서 '일'을 뜻하는 글자가 되었어요.

2 낱말판에서 설명 에 해당하는 낱말을 찾아 ○표 하세요.

장	일	생
식	(인)	물
공	사	상

설명
사람 또는 뛰어난 사람

3 다음 한자의 음(소리)을 보기 에서 찾아 그 번호를 쓰세요.

보기
① 사 ② 물 ③ 건

• 物 → (②)

4 다음 밑줄 친 말에 해당하는 한자를 보기 에서 찾아 그 번호를 쓰세요.

보기
① 物 ② 事 ③ 場

• 사용한 물건은 제자리에 정리합니다. → (①)

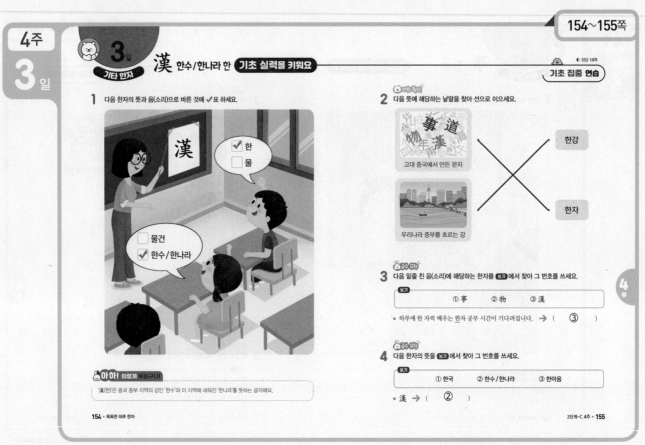

4주 3일

3일 기타 한자 漢 한수/한나라 한 기초 실력을 키워요 기초 집중 연습

1 다음 한자의 뜻과 음(소리)으로 바른 것에 ✔표 하세요.

漢
✔ 한
□ 물
□ 물건
✔ 한수/한나라

아하! 이렇게 하는구나
'漢(한)'은 중국 중부 지역의 강인 '한수'와 이 지역에 세워진 '한나라'를 뜻하는 글자예요.

2 다음 뜻에 해당하는 낱말을 찾아 선으로 이으세요.

고대 중국에서 만든 문자 ╳ 한강
우리나라 중부를 흐르는 강 ╳ 한자

3 다음 밑줄 친 음(소리)에 해당하는 한자를 보기 에서 찾아 그 번호를 쓰세요.

보기
① 事 ② 物 ③ 漢

• 하루에 한 자씩 배우는 한자 공부 시간이 기다려집니다. → (③)

4 다음 한자의 뜻을 보기 에서 찾아 그 번호를 쓰세요.

보기
① 한국 ② 한수/한나라 ③ 한마음

• 漢 → (②)

4주 4일

4일 기타 한자 世 인간 세 | 기초 실력을 키워요 | 기초 집중 **연습**

정답 19쪽

1 한자의 뜻과 음(소리)이 맞으면 ○, 틀리면 ✕ 표시를 따라가 보물을 찾아보세요.

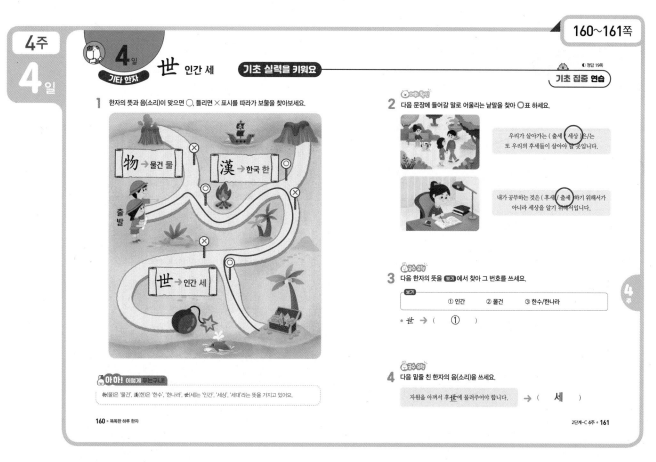

物(물)은 '물건', 漢(한)은 '한수', '한나라', 世(세)는 '인간', '세상', '세대'라는 뜻을 가지고 있어요.

2 다음 문장에 들어갈 말로 어울리는 낱말을 찾아 ○표 하세요.

우리가 살아가는 (출세 / **세상**)은/는 또 우리의 후세들이 살아야 할 곳입니다.

내가 공부하는 것은 (후세 / **출세**)하기 위해서가 아니라 세상을 알기 위해서입니다.

3 다음 한자의 뜻을 보기에서 찾아 그 번호를 쓰세요.

보기
① 인간   ② 물건   ③ 한수/한나라

• 世 → (①)

4 다음 밑줄 친 한자의 음(소리)을 쓰세요.

자원을 아껴서 後世에 물려주어야 합니다. → (세)

160 • 똑똑한 하루 한자

2단계-C 4주 • 161

4주 5일

5일 기타 한자 不 아닐 불 | 기초 실력을 키워요 | 기초 집중 **연습**

정답 19쪽

1 그림 속에 숨어 있는 한자를 찾아 ○표 하고, 뜻과 음(소리)을 보기에서 찾아 쓰세요.

世(세)는 '인간', '세상', '세계', 事(사)는 '일', 不(불)은 '아니다'를 뜻하는 글자예요. 한자 모양에 유의하면서 그림 속에 숨어 있는 글자를 찾아보세요.

2 다음에서 '不(아닐 불)'이 들어 있는 낱말을 찾아 ○표 하세요.

절에 모셔진 (불상)

(불편)한 출입문

3 다음 밑줄 친 낱말에 해당하는 한자어를 보기에서 찾아 그 번호를 쓰세요.

보기
① 不便   ② 不利   ③ 不足

• 늘 부족한 내 용돈 → (③)

4 다음 한자의 뜻을 보기에서 찾아 그 번호를 쓰세요.

보기
① 아니다   ② 어렵다   ③ 그렇다

• 不 → (①)

166 • 똑똑한 하루 한자

2단계-C 4주 • 167

2단계-C 정답 • **19**

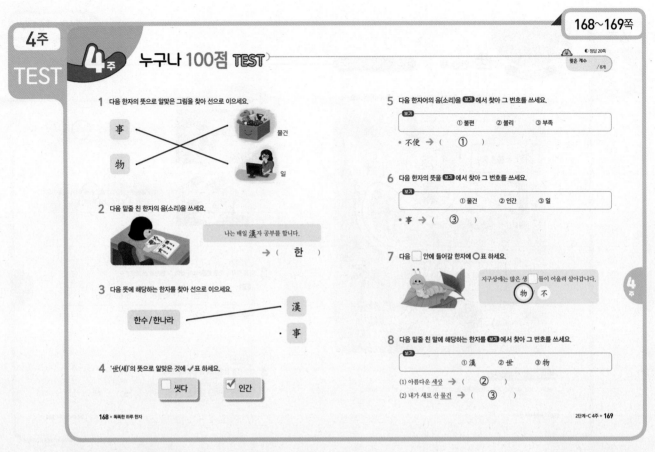

4주 특강

4주 특강 🧠 생각을 키워요 ❷

정답 21쪽

📖 코딩+한문 3,500원으로 음료수를 사려고 합니다. 다음과 같이 자판기가 작동했을 때, 뽑은 차례대로 음료수 속 한자의 뜻과 음(소리)을 쓰세요.

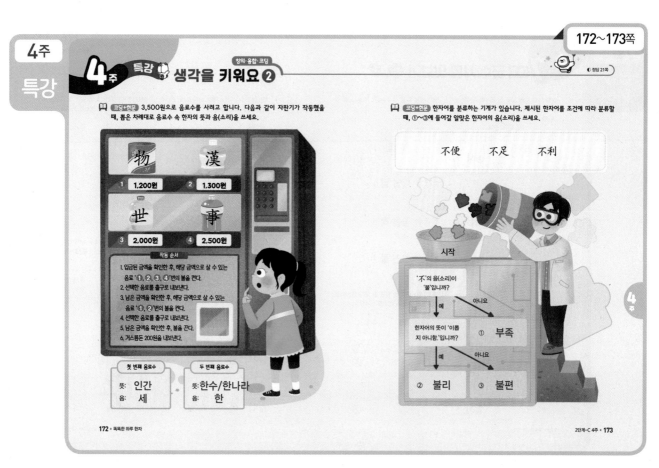

📖 코딩+한문 한자어를 분류하는 기계가 있습니다. 제시된 한자어를 조건에 따라 분류할 때, ①~③에 들어갈 알맞은 한자어의 음(소리)을 쓰세요.

4주 특강

4주 특강 🧠 생각을 키워요 ❸

정답 21쪽

📖 수학+한문 보기 한자의 뜻을 다음과 같이 A, B로 나누었을 때, 다음 물음에 답하세요.

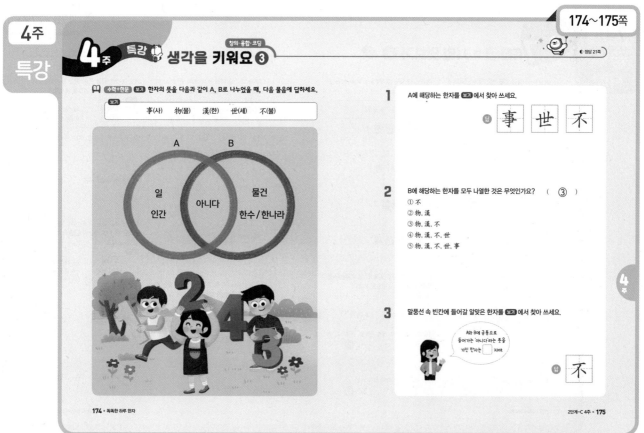

1 A에 해당하는 한자를 보기 에서 찾아 쓰세요.

답 事 世 不

2 B에 해당하는 한자를 모두 나열한 것은 무엇인가요? (③)
① 不
② 物, 漢
③ 物, 漢, 不
④ 物, 漢, 不, 世
⑤ 物, 漢, 不, 世, 事

3 말풍선 속 빈칸에 들어갈 알맞은 한자를 보기 에서 찾아 쓰세요.

A와 B에 공통으로 들어가는 '아니다'라는 뜻을 가진 한자는 ▢ (이)야.

답 不

176~177쪽

7급II 급수 시험 맛보기 ①회

7급II 급수 시험

정답 22쪽

[문제 1~5] 다음 밑줄 친 漢字語한자어의 음(음: 소리)을 쓰세요.

| 보기 |
| 漢字 → 한자 |

1 올해는 農事가 풍년입니다.
(농사)

2 市場에 가서 채소를 샀습니다.
(시장)

3 間食으로 옥수수를 먹었습니다.
(간식)

4 언덕을 지나니 平平한 길이 펼쳐졌습니다.
(평평)

5 기억에 남는 일을 떠올리며 日記를 씁니다.
(일기)

[문제 6~9] 다음 漢字한자의 訓(훈: 뜻)과 음(음: 소리)을 쓰세요.

| 보기 |
| 字 → 글자 자 |

6 立 (설 립)

7 答 (대답 답)

8 直 (곧을 직)

9 物 (물건 물)

[문제 10~11] 다음 밑줄 친 漢字語한자어를 보기 에서 골라 그 번호를 쓰세요.

| 보기 |
| ①直立 ②世上 |
| ③不足 ④安全 |

10 수영장에서는 안전 수칙을 잘 지켜야 합니다.
(④)

11 흰 눈이 온 세상을 뒤덮었습니다.
(②)

[문제 12~14] 다음 訓(훈: 뜻)과 음(음: 소리)에 맞는 漢字한자를 보기 에서 골라 그 번호를 쓰세요.

| 보기 |
| ①話 ②正 ③不 ④事 |

12 바를 정 (②)

13 말씀 화 (①)

14 아닐 불 (③)

[문제 15~16] 다음 漢字한자의 상대 또는 반대되는 漢字한자를 보기 에서 골라 그 번호를 쓰세요.

| 보기 |
| ①水 ②手 ③左 ④前 |

15 (②) ↔ 足

16 (④) ↔ 後

[문제 17~18] 다음 뜻에 맞는 漢字語한자어를 보기 에서 찾아 그 번호를 쓰세요.

| 보기 |
| ①人道 ②正直 |
| ③全力 ④下車 |

17 타고 있던 차에서 내림.
(④)

18 사람이 다니는 길.
(①)

[문제 19~20] 다음 漢字한자의 진하게 표시된 획은 몇 번째 쓰는지 보기 에서 찾아 그 번호를 쓰세요.

| 보기 |
| ①첫 번째 ②세 번째 |
| ③다섯 번째 ④일곱 번째 |

19 漢 (②)

20 安 (③)

178~179쪽

7급II 급수 시험 맛보기 ②회

7급II 급수 시험

정답 22쪽

[문제 1~5] 다음 밑줄 친 漢字語한자어의 음(음: 소리)을 쓰세요.

| 보기 |
| 一日 → 일일 |

1 漢江에 유람선이 둥둥 떠 있습니다.
(한강)

2 천둥소리에 마음이 不安하였습니다.
(불안)

3 할아버지께 안부 電話를 드렸습니다.
(전화)

4 버스를 타고 市內에 다녀왔습니다.
(시내)

5 工場 굴뚝에서 연기가 뿜어져 나왔습니다.
(공장)

[문제 6~9] 다음 漢字한자의 訓(훈: 뜻)과 음(음: 소리)을 쓰세요.

| 보기 |
| 一 → 한 일 |

6 全 (온전 전)

7 農 (농사 농)

8 記 (기록할 기)

9 世 (인간 세)

[문제 10~11] 다음 밑줄 친 漢字語한자어를 보기 에서 골라 그 번호를 쓰세요.

| 보기 |
| ①正直 ②日記 |
| ③事物 ④國立 |

10 안개가 잔뜩 끼어 사물을 구분하기 어렵습니다.
(③)

11 사람은 정직해야 합니다.
(①)

[문제 12~14] 다음 訓(훈: 뜻)과 음(음: 소리)에 맞는 漢字한자를 보기 에서 골라 그 번호를 쓰세요.

| 보기 |
| ①平 ②答 ③市 ④車 |

12 대답 답 (②)

13 평평할 평 (①)

14 수레 거/차 (④)

[문제 15~16] 다음 漢字한자의 상대 또는 반대되는 漢字한자를 보기 에서 골라 그 번호를 쓰세요.

| 보기 |
| ①足 ②男 ③父 ④下 |

15 (④) ↔ 上

16 (②) ↔ 女

[문제 17~18] 다음 뜻에 맞는 漢字語한자어를 보기 에서 찾아 그 번호를 쓰세요.

| 보기 |
| ①食事 ②平生 |
| ③直立 ④後世 |

17 꼿꼿하게 바로 섬.
(③)

18 끼니로 음식을 먹음.
(①)

[문제 19~20] 다음 漢字한자의 진하게 표시된 획은 몇 번째 쓰는지 보기 에서 찾아 그 번호를 쓰세요.

| 보기 |
| ①두 번째 ②네 번째 |
| ③여덟 번째 ④열 번째 |

19 道 (④)

20 不 (①)

memo

memo

국가공인 한자자격시험 교재

한자자격시험은 기초 한자와 교과서 한자어를 함께 평가
하여 자격증 취득 시 자신감은 물론 사고력과 어휘력, 교과
학습 능력까지 향상됩니다.

씽씽 한자 자격시험만의 **100% 합격** 비결!

① 들으면 술술 외워지는 한자 동요 MP3 제공

② 보면 쏙쏙 이해되는 한자 연상 그림, 사진 제시

③ 실력별 나만의 공부 계획 가능

④ 최신 기출 및 예상 문제 수록

⑤ 놀면서 공부하는 급수별 한자 카드 제공

· 권장 학년: [8급] 초등 1학년 [7급] 초등 2,3학년
[6급] 초등 4,5학년 [5급] 초등 6학년

국가공인 한자능력검정시험 교재

한자능력검정시험은 올바른 우리말 사용을 위한 급수별 기초 한자를 평가합니다.
자격증 취득 시 자신감은 물론 사고력과 어휘력이 향상됩니다.

· 권장 학년: 초등 1학년

· 권장 학년: 초등 2,3학년

· 권장 학년: 초등 4,5학년

· 권장 학년: 초등 6학년

· 권장 학년: 중학생

· 권장 학년: 고등학생

정답은
이안에
있어！

기초 학습능력 강화 프로그램
매일 조금씩 공부력 UP!

국어
예비초~초6

수학
예비초~초6

영어
예비초~초6

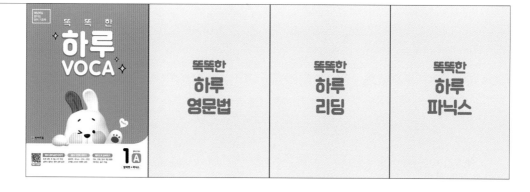

바·슬·즐
예비초~초2

사회·과학
초3~초6

배움으로 행복한 내일을 꿈꾸는
천재교육 커뮤니티 안내 . . . .

교재 안내부터 구매까지 한 번에!
천재교육 홈페이지

천재교육 홈페이지에서는 자사가 발행하는 참고서,
교과서에 대한 소개는 물론 도서 구매도 할 수 있습니다.
회원에게 지급되는 별을 모아 다양한 상품 응모에도
도전해 보세요.

구독, 좋아요는 필수! 핵유용 정보 가득한
천재교육 유튜브 <천재TV>

신간에 대한 자세한 정보가 궁금하세요?
참고서를 어떻게 활용해야 할지 고민인가요?
공부 외 다양한 고민을 해결해 줄 채널이 필요한가요?
학생들에게 꼭 필요한 콘텐츠로 가득한 천재TV로 놀러 오세요!

다양한 교육 꿀팁에 깜짝 이벤트는 덤!
천재교육 인스타그램

천재교육의 새롭고 중요한 소식을 가장 먼저 접하고 싶다면?
천재교육 인스타그램 팔로우가 필수!
누구보다 빠르고 재미있게 천재교육의 소식을 전달합니다.
깜짝 이벤트도 수시로 진행되니 놓치지 마세요!